MODIFIEZ
VOS RECETTES
TRADITIONNELLES

Couverture
- Conception graphique:
  Anne Bérubé
- Photo:
  Maryse Raymond

Maquette intérieure
- Conception graphique:
  Jean-Guy Fournier

DISTRIBUTEURS EXCLUSIFS:

- Pour le Canada:
  AGENCE DE DISTRIBUTION POPULAIRE INC.*
  955, rue Amherst, Montréal H2L 3K4 (tél.: 514-523-1182)
  * Filiale de Sogides Ltée

- Pour la France et autres pays:
  INTER-FORUM
  13, rue de la Glacière, 75013 Paris (tél.: (1) 43-37-11-80)

- Pour la Belgique et autres pays:
  S. A. VANDER
  Avenue des Volontaires, 321, 1150 Bruxelles
  (tél.: (32-2) 762.98.04)

- Pour la Suisse et autres pays:
  TRANSAT S.A.
  Route des Jeunes, 19, C.P. 125, 1211 Genève 26
  (tél.: (22) 42.77.40)

DENYSE HUNTER

MODIFIEZ

VOS RECETTES
TRADITIONNELLES

LES ÉDITIONS DE L'HOMME *

CANADA: 955, rue Amherst, Montréal H2L 3K4

*Division de Sogides Ltée

© 1983 LES ÉDITIONS DE L'HOMME,
DIVISION DE SOGIDES LTÉE

Tous droits réservés

Bibliothèque nationale du Québec
Dépôt légal — 2e trimestre 1983

ISBN 2-7619-0272-6

Remerciements

Je tiens à remercier toutes les personnes qui ont collaboré de près ou de loin à la réalisation de ce volume:

madame Louise Lambert-Lagacé et mademoiselle Louise Hunter qui ont accepté de réviser le texte et d'apporter leurs commentaires;

ma soeur Rachelle qui a dactylographié avec soin le manuscrit;

tous ceux qui ont expérimenté ou goûté les recettes modifiées et présenté leur appréciation (parents, amis, élèves);

également toute l'équipe des Éditions de l'Homme qui a assuré la révision, la production, la publication et la distribution du volume.

Introduction

Encore un autre livre de recettes? Il en existe déjà tellement sur le marché! En quoi celui-ci est-il différent? C'est que ce livre est plus qu'un livre de recettes. En plus de vous suggérer une cinquantaine de recettes délicieuses, nutritives, réduites en calories et faciles à exécuter, il vous permet également d'utiliser tous vos autres livres de recettes dont vous vous servez habituellement. Ainsi, vous n'avez pas à délaisser vos mets préférés; en apportant de légères modifications aux ingrédients utilisés et au mode de préparation, vous pouvez réduire considérablement la valeur en calories, tout en ne sacrifiant pas la saveur et l'apparence d'un mets. Et, la plupart du temps, la modification apportée à la recette passe inaperçue; personne ne s'apercevra que vous avez utilisé du yogourt nature au lieu de la mayonnaise dans vos recettes de sauces à fondue, et vous aurez 100 calories par cuillère à soupe et, surtout 40 fois moins de gras dans votre recette!

Vous avez peut-être déjà acheté un ou plusieurs livres de recettes dites "de régime", mais elles ne sont probablement pas adaptées aux habitudes et aux goûts de votre famille; il vous faut alors faire ces recettes pour vous seulement, à part des autres. Ainsi, vous augmentez le temps de préparation des repas, et vous réduisez votre intérêt pour ces recettes. D'autant plus que plusieurs de ces recettes faibles en calories vous incitent à acheter des produits "spéciaux" que vous n'utilisez pas habituellement. Par contre, ce livre vous propose des recettes populaires, ne nécessitant pas l'achat de tels produits. Donc, vous pouvez perdre du poids en mangeant les mêmes choses.

Ce livre ne s'adresse pas seulement aux personnes qui veulent perdre du poids. Peut-être voulez-vous simplement diminuer votre consommation de sucre et de gras afin de prévenir les maladies d'origine nutritionnelle? À ce moment-là, faites la recette modifiée et dégustez le mets sans tenir compte des calories et des équivalences.

Les 50 recettes du volume sont accompagnées d'un menu et de quelques suggestions quant aux modifications que l'on peut apporter à la recette, à la présentation, au temps et au mode de conservation de chaque recette.

Les personnes qui ont une diète spéciale ne sont pas oubliées. Si vous suivez un régime réduit en cholestérol, si vous êtes diabétique ou si vous faites de l'hypertension l'on vous dira si vous pouvez faire cette recette et quelles sont les changements à apporter pour respecter votre régime.

Comme les familles nombreuses diminuent et que le nombre de personnes qui vivent seules augmente, il faut souvent modifier les recettes. La plupart des recettes ont un rendement de 4 à 6 portions, ce qui pose un problème pour les personnes seules qui se retrouvent devant le dilemme: manger la même chose toute la semaine ou diviser la recette? Avez-vous déjà essayer de diviser un oeuf en quatre ou en six? Alors, à la fin de chaque recette, je donne des suggestions aux personnes seules, pour utiliser chaque recette.

Essayez d'abord quelques-unes des recettes du livre et lorsque vous connaîtrez un peu plus les trucs de modification, sortez vos vieux livres de recettes et modifiez-les tout en dégustant vos mets préférés!

Présentation des recettes

À chacune des recettes se trouvent la recette originale (sur les pages de gauche) et la recette modifiée (à droite). Le chiffre à côté de chacun des ingrédients est le nombre de calories fournies par l'ingrédient. En comparant les deux recettes, vous pouvez constater quels ingrédients peuvent y être substitués sans en diminuer l'apparence ni la saveur. Vous pouvez également comparer les calories que vous économisez en modifiant vos recettes; le nombre de calories par portion est indiqué au bas de chaque recette. Lorsque des changements sont souhaitables, quant au mode de préparation, ceux-ci sont indiqués dans la recette modifiée.

Les modifications tiennent compte non seulement du nombre des calories, mais également de la valeur nutritive. Par exemple, on emploiera de préférence les produits céréaliers à grains entiers tels que: pain de blé entier, farine de blé entier, riz brun, etc.

Toutes ces recettes ont été expérimentées et dégustées par plusieurs personnes avant d'être publiées, et seules celles qui furent les plus appréciées ont été retenues.

Je vous suggère aussi un exemple de menu équilibré, ceci dans le but d'obtenir des repas variés et complets, renfermant les quatre groupes d'aliments essentiels: produits laitiers, pain et céréales, fruits et légumes, viandes et substituts. Pour les personnes qui surveillent leur poids, j'indique également les calories et les équivalences du repas suggéré.

Bonne chance!

Savez-vous modifier vos recettes?

Voulez-vous connaître l'étendue de vos connaissances en matière de modification de recettes? Si oui, faites le test suivant et vérifiez vos résultats à l'aide des réponses et des explications données à la suite. Avant d'exécuter les recettes modifiées suggérées dans ce livre, vous aurez déjà acquis quelques principes que vous pourrez déjà appliquer à la modification de vos recettes personnelles.

QUESTIONS	VRAI	FAUX

1. *On peut diminuer beaucoup la valeur calorique d'une recette en remplaçant le sucre blanc par du miel.*

2. *Une recette fournit moins de calories si l'on remplace le beurre par de la margarine.*

3. *Une salade contiendra beaucoup moins de calories si l'on utilise de l'huile végétale au lieu de la mayonnaise.*

4. *Si l'on utilise du lait écrémé pour faire une sauce béchamel, elle sera moins épaisse.*

5. *Le fromage cottage "à la crème" est un fromage gras.*

6. *On peut souvent diminuer la quantité de sucre de 25 à 50% dans les desserts sans affecter l'apparence et la qualité du produit final.*

7. *Les soupes-crèmes condensées en conserve (crème de céleri, de poulet, de champignons) peuvent occasionnellement remplacer la mayonnaise en fournissant beaucoup moins de calories.*

8. *Le yogourt nature peut remplacer la crème sure dans la majorité des recettes.*

9. *Les fromages au lait écrémé contiennent environ 5 à 7 fois moins de gras que le fromage Cheddar.*

10. *Les personnes qui doivent limiter le sel dans leur alimentation devraient également éviter le jambon.*

11. *La gélatine aromatisée commerciale peut être remplacée par une enveloppe de gélatine neutre dissoute dans 2 tasses (500 mL) de jus de fruit non sucré.*

12. *Pour réussir les muffins, il faut battre la pâte le moins longtemps possible.*

13. *Les plats à base de gélatine ne se congèlent pas.*

14. *Le foie et les fruits de mer ont tendance à durcir si on les fait cuire trop longtemps.*

15. *Si l'on ajoute de l'ananas frais à un plat à base de gélatine, celle-ci ne prendra pas et restera liquide.*

16. *Les légumes en conserve sont plus avantageux que les légumes congelés sous le rapport qualité/prix.*

17. *Les épices et les fines herbes augmentent la valeur en calories d'une recette.*

18. *Le lait écrémé en poudre se conserve long-*
    temps grâce à l'addition de produits chi-
    miques.

19. *Les légumes verts congelés doivent leur*
    belle couleur à l'addition de colorants.

20. *Si l'on utilise un peu moins de gras pour*
    faire une sauce béchamel, elle sera moins
    onctueuse.

Réponses au questionnaire

Réponses   **Explications**

1. *Faux*   Le miel contient plus de calories que le sucre
blanc:
     1 c. à soupe de sucre blanc = 45 calories
     1 c. à soupe de miel = 65 calories

2. *Faux*   Le beurre et la margarine ont exactement le
même nombre de calories:
     1 c. à soupe de beurre = 100 calories
     1 c. à soupe de margarine = 100 calories

3. *Faux*   L'huile végétale fournit plus de calories que la
mayonnaise:
     1 c. à soupe d'huile végétale = 125 calories
     1 c. à soupe de mayonnaise = 110 calories

4. *Faux*   Le lait écrémé peut être utilisé pour faire une
sauce béchamel. Celle-ci sera aussi épaisse si
l'on ne modifie pas la quantité de farine.

5. *Faux* Le fromage cottage "à la crème", malgré son appellation, est un fromage maigre puisqu'il contient seulement de 1 à 4% de matières grasses. La majorité des fromages renferment entre 22 et 33% de matières grasses.

6. *Vrai* En diminuant la quantité de sucre dans les desserts, le goût en sera un peu moins accentué, mais l'apparence du produit final ne sera pas modifiée.

7. *Vrai* À l'occasion, on peut employer sans les diluer les soupes-crèmes condensées en conserve pour remplacer la mayonnaise:
1 c. à soupe de mayonnaise = 110 calories
1 c. à soupe de crème de poulet = 22 calories
1 c. à soupe de crème de champignons = 17 calories
1 c. à soupe de crème de céleri = 10 calories
1 c. à soupe de crème d'asperges = 8 calories.

8. *Vrai* La saveur et la consistance du yogourt nature ressemblent beaucoup à celles de la crème sure; il peut donc la remplacer dans la majorité des recettes, tout en diminuant le nombre de calories.
1 tasse de yogourt nature écrémé = 100 calories
1 tasse de crème sure = 456 calories

9. *Vrai* Fromages au lait écrémé = 4 à 7% de matières grasses
Fromage Cheddar = 28 à 33% de matières grasses

10. *Vrai* Le jambon contient beaucoup de sel. Les personnes qui souffrent d'hypertension ou qui, pour d'autres raisons, doivent limiter le sodium dans leur alimentation devraient éviter le jambon.

11. *Vrai*   Gélatine aromatisée maison:
           1 — Faire gonfler une enveloppe de gélatine neutre dans 1 c. à soupe d'eau froide.
           2 — Faire chauffer 250 mL (1 tasse) de jus de fruit non sucré et ajouter à la gélatine. Brasser pour dissoudre.
           3 — Ajouter 250 mL (1 tasse) de jus de fruit non sucré froid. Réfrigérer.

12. *Vrai*   Il faut éviter de battre trop longtemps la pâte des muffins, sinon ils seront plus durs, plus massifs et il se formera des "tunnels" dans la pâte durant la cuisson.

13. *Vrai*   On ne doit jamais congeler les recettes à base de gélatine.

14. *Vrai*   Plus on prolonge la cuisson du foie ou des fruits de mer, plus ils durciront.

15. *Vrai*   L'ananas frais contient un enzyme qui a pour propriété de liquéfier la gélatine. Il faut donc faire bouillir l'ananas frais quelques minutes avant de l'ajouter à une recette à base de gélatine. Le problème ne se pose pas avec l'ananas en conserve puisqu'il a déjà subi un traitement à la chaleur.

16. *Faux*   La perte de vitamine C est moins grande dans les légumes congelés que dans les légumes en conserve qui baignent dans l'eau (la vitamine C se dissout dans l'eau). De plus, les légumes congelés sont généralement plus économiques car il n'y a aucune perte, comparativement aux légumes en conserve où l'on paie pour le liquide.

17. *Faux*   Les épices et les fines herbes rehaussent la saveur des mets en n'ajoutant aucune calorie.

18. *Faux*   Le lait écrémé en poudre ne contient aucun produit chimique. Il se conserve longtemps parce qu'il ne contient pas suffisamment d'eau pour le développement des bactéries.

19. *Faux*   Les légumes verts congelés ne contiennent aucun colorant. Leur belle couleur verte est due au blanchiment et aux conditions idéales du procédé industriel de congélation.

20. *Faux*   La quantité de gras n'affecte pas la consistance de la sauce béchamel. Par contre, celle-ci aura tendance à se grumeler si le gras et la farine ne sont pas liés suffisamment avant l'addition du lait.

BARÈME: Accordez-vous 1 point pour chaque bonne réponse et faites le total.

    18 à 20 points: excellent
    15 à 17 points: bon
    12 à 14 points: moyen
    11 et moins: mauvais

Si votre résultat n'est pas très bon, la lecture de ce volume et l'expérimentation des recettes modifiées vous seront très profitables. Si, par contre, vous avez obtenu un excellent résultat, c'est que vous êtes déjà apte à modifier vos propres recettes; celles que je vous suggère dans ce livre ajouteront un peu de variété à vos menus.

SOUPES

Potage parmentier

Ustensiles

1 grande casserole	1 planche
1 mélangeur	1 petit couteau tranchant
1 passoire	1 cuillère en bois
Tasses et cuillères	1 couteau à peler
à mesurer	

Recette originale

500 g (1 lb) de poireaux	*212**
500 g (1 lb) de pommes de terre	*380*
2 c. à soupe de beurre	*200*
625 mL (2 1/2 t.) de bouillon de poulet	*32*
Sel et poivre	*0*
310 mL (1 1/4 t.) de lait entier	*200*
60 mL (1/4 t.) de crème 35 %	*172*

1. Bien nettoyer les poireaux et les trancher.
2. Peler, laver et trancher les pommes de terre.
3. Faire frire les légumes dans le beurre à feu doux pendant 10 minutes, dans une casserole couverte, en agitant de temps à autre afin que les légumes ne collent pas.
4. Ajouter le bouillon. Amener à ébullition. Assaisonner au goût.
5. Laisser mijoter environ 30 minutes.
6. Couler la soupe. Réduire les légumes en purée au mélangeur.
7. Ajouter la purée de légumes au bouillon ainsi que la crème et le lait.
8. Réchauffer et servir.

* Les nombres inscrits vis-à-vis de chaque ingrédient représentent le nombre de calories.

Temps de préparation: 15 minutes
Temps de cuisson: 40 minutes
Rendement: 8 portions

Recette modifiée

---

500 g (1 lb) de poireaux	*212*
500 g (1 lb) de pommes de terre	*380*
1 c. à soupe de beurre	*100*
625 mL (2 1/2 t.) de bouillon de poulet	*32*
Sel et poivre	*0*
375 mL (1 1/2 t.) de lait écrémé	*135*

---

1. Bien nettoyer les poireaux et les trancher.
2. Peler, laver et trancher les pommes de terre.
3. Faire frire les légumes dans le beurre à feu doux pendant 10 minutes, dans une casserole couverte, en agitant de temps à autre, afin que les légumes ne collent pas.
4. Ajouter le bouillon. Amener à ébullition. Assaisonner au goût.
5. Laisser mijoter environ 30 minutes.
6. Couler la soupe. Réduire les légumes en purée au mélangeur.
7. Ajouter la purée de légumes au bouillon, ainsi que le lait.
8. Réchauffer et servir.

Valeur nutritive comparée

Valeur nutritive par portion	Recette originale	Recette modifiée
Calories	150 calories	107 calories
Protéines	5,0 g	5,0 g
Lipides (gras)	7,0 g	1,0g
Glucides (sucres)	20,0 g	20,5 g

Avantages de la recette modifiée

1 1/2 fois moins de calories.
Autant de protéines.
7 fois moins de gras.

Dans un repas complet (menu suggéré)

	Calories
1 portion de potage parmentier recette modifiée	107
75 g (2 1/2 oz) de bifteck grillé	143
114 g (1/2 t.) de salade de chou cru	13
1/2 c. à soupe de vinaigrette	30
114 g (1/2 t.) de haricots jaunes	24
1 petite pomme de terre	80
125 mL (1/2 t.) de yogourt nature écrémé avec un peu d'essence d'érable	50
TOTAL	447

Variante: on peut utiliser un mélange d'oignons et de poireaux.

Présentation et service: décorer de persil frais ou séché.

Utilisation de la recette modifiée si vous suivez une diète

Réduite en sodium (sel) (hypertension, rétention d'eau, cardiaques)	Réduite en cholestérol et/ou gras (maladies du coeur, foie, athérosclérose)	Calculée pour diabétiques (équivalences)
Remplacer le sel par de la poudre d'oignon.	Permis en remplaçant le beurre par une margarine polyinsaturée.	1 portion = 1 pain + 1 lait écrémé

Note: le poireau peut occasionner des gaz chez certaines personnes.

Conservation: peut se réchauffer pour un second repas. Ne pas congeler.

Préparation: ne pas laisser brunir les légumes en les faisant revenir dans le beurre.

Autres remarques: excellent potage riche en saveur, en vitamines et en calcium.

Pour personne seule: inviter des amis ou faites seulement le quart de la recette, ce qui vous donnera 2 portions.

Crème de champignons

Ustensiles

Tasses et cuillères
   à mesurer
1 bain-marie
1 cuillère en bois

1 planche
1 ouvre-boîte
1 petit couteau tranchant

Recette originale

---

57 g (1/4 t.) de beurre ou de magarine *400*
29 g (1/4 t.) de farine tout-usage *76*
310 mL (1 1/4 t.) de bouillon de boeuf *30*
125 mL (1/2 t.) d'eau *0*
375 mL (1 1/2 t.) de lait entier *240*
114 g (1/2 t.) d'oignons hachés *20*
340 g (1 1/2 t.) de champignons frais hachésfinement *75*
Sel et poivre au goût *0*

---

1. Faire fondre le beurre ou la margarine dans la partie supérieure du bain-marie.
2. Ajouter la farine et bien mêler.
3. Mélanger ensemble le bouillon, l'eau et le lait et ajouter au premier mélange en remuant constamment jusqu'à épaississement.
4. Ajouter les oignons et prolonger la cuisson de 15 minutes.
5. Ajouter les champignons et prolonger la cuisson de 5 minutes.
6. Assaisonner et servir.

Temps de préparation et de cuisson: 30 minutes
Rendement: 6 portions

Recette modifiée

---

2 c. à soupe de beurre ou de margarine	*200*
29 g (1/4 t.) de farine tout-usage	*76*
310 mL (1 1/4 t.) de bouillon de boeuf	*30*
125 mL (1/2 t.) d'eau	*0*
375 mL (1 1/2 t.) de lait écrémé	*135*
114 g (1/2 t.) d'oignons hachés	*20*
340 g (1 1/2 t.) de champignons frais hachés finement	*75*
Sel et poivre au goût	*0*

---

1. Faire fondre le beurre ou la margarine dans la partie supérieure du bain-marie.
2. Ajouter la farine et bien mêler.
3. Mélanger ensemble le bouillon, l'eau et le lait en remuant constamment jusqu'à épaississement.
4. Ajouter les oignons et prolonger la cuisson de 15 minutes.
5. Ajouter les champignons et prolonger la cuisson de 5 minutes.
6. Assaisonner et servir.

Valeur nutritive comparée

Valeur nutritive par portion	Recette originale	Recette modifiée
Calories	140 calories	89 calories
Protéines	4,0 g	4,0 g
Lipides (gras)	10,0 g	4,0 g
Glucides (sucres)	9,0 g	9,0 g

Avantages de la recette modifiée

1 1/2 fois moins de calories.
Autant de protéines.
2 1/2 fois moins de gras.

Dans un repas complet (menu suggéré)

	Calories
1 portion de crème de champignons, recette modifiée	89
90 g (3 oz) de filet de sole	165
114 g (1/2 t.) de brocoli	20
114 g (1/2 t.) de carottes et navets en cubes	23
114 g (1/2 t.) de riz brun cuit	90
2 biscuits Graham	55
Tisane ou thé faible	0
TOTAL	442

Variantes: plusieurs soupes-crèmes peuvent être préparées à partir de la recette de base. Il s'agit de remplacer les champignons par 340 g (1 1/2 t.) d'autres légumes cuits hachés finement ou réduits en purée: céleri, brocoli, asperges, poireaux, pois verts, navets, carottes, épinards.
Un bouillon de poulet ou de légumes (eau de cuisson des légumes) peut remplacer le bouillon de boeuf.

Présentation et service: décorer de persil frais, d'*échalottes** hachées ou de quelques croûtons grillés.

* Oignons verts

Utilisation de la recette modifiée si vous suivez une diète

Réduite en sodium (sel) (hypertension, rétention d'eau, cardiaques)	Réduite en cholestérol et/ou gras (maladies du coeur, foie, athérosclérose)	Calculée pour diabétiques (équivalences)
Remplacer le sel par la poudre d'oignon	Utiliser une margarine polyinsaturée au lieu de beurre	1 portion = 1/2 pain + 1 gras + 1 lait écrémé

Conservation: au réfrigérateur; réchauffer au bain-marie.

Préparation: il est important de bien mélanger le beurre ou la margarine avec la farine au début pour empêcher la formation de grumeaux. Pour une soupe plus onctueuse, utiliser des légumes réduits en purée plutôt qu'hachés finement.

Utilisation des restes: les restes de légumes cuits peuvent être utilisés dans une soupe-crème.

Autres remarques: les personnes qui consomment peu de produits laitiers ont avantage à essayer cette recette.

Pour personne seule: le tiers de la recette = 2 portions.

Quantités pour le tiers de la recette:
2 c. à café de beurre ou de margarine
5 c. à café de farine tout-usage
125 mL (1/2 t.) de bouillon de boeuf
2 c. à soupe d'eau
125 mL (1/2 t.) de lait écrémé
3 c. à soupe d'oignon haché
115 g (1/2 t.) de champignons frais hachés
Sel et poivre au goût

METS D'ACCOMPAGNEMENT

Sauce aux champignons

Ustensiles

1 bain-marie	1 planche
Tasses et cuillères	1 petit couteau tranchant
à mesurer	1 cuillère en bois

Recette originale

454 g (2 t.) de champignons frais tranchés	*102*
57 g (1/4 t.) de beurre ou de margarine	*400*
28 g (1/4 t.) de farine	*97*
1/4 c. à café de sel	*0*
Pincée de poivre	*0*
125 mL (1/2 t.) de bouillon de poulet	*7*
310 mL (1 1/4 t.) de crème à 15 %	*518*

1. Dans la partie supérieure du bain-marie, faire cuire les champignons dans le beurre ou la margarine, à feu doux, durant environ 5 minutes.

2. Ajouter farine, sel et poivre et bien mêler pour obtenir un mélange homogène.

3. Ajouter le bouillon de poulet et bien mêler.

4. Verser lentement la crème en remuant constamment jusqu'à épaississement.

5. Servir sur du pain grillé.

Temps de préparation et de cuisson: 20 minutes
Rendement: 4 portions

Recette modifiée

---

454 g (2 t.) de champignons frais tranchés	*102*
2 c. à soupe de beurre ou de margarine	*200*
28 g (1/4 t.) de farine	*97*
1/4 c. à café de sel	*0*
Pincée de poivre	*0*
125 mL (1/2 t.) de bouillon de poulet	*7*
310 mL (1 1/4 t.) de lait écrémé	*112*

---

1. Dans la partie supérieure du bain-marie, cuire les champignons dans le beurre ou la margarine à feu doux durant environ 5 minutes.
2. Ajouter farine, sel et poivre et bien mêler pour obtenir un mélange homogène.
3. Ajouter le bouillon de poulet et bien mêler.
4. Verser lentement le lait en remuant constamment jusqu'à épaississement.
5. Servir sur du pain grillé.

Valeur nutritive comparée

Valeur nutritive par portion	Recette originale	Recette modifiée
Calories	281 calories	130 calories
Protéines	5,0 g	5,0 g
Lipides (gras)	23,5 g	5,5 g
Glucides (sucre)	10,0 g	12,0 g

Avantages de la recette modifiée

2 fois moins de calories.
4 fois moins de gras.
Autant de protéines.

Dans un repas léger (menu suggéré)

	Calories
1 oeuf poché sur	80
1 tranche de blé entier grillé recouverte	72
d'une portion de sauce aux	
champignons, recette modifiée	130
laitue — tomates	23
125 mL (1/2 t.) de yogourt nature écrémé	50
114 g (1/2 t.) d'ananas en cubes	
TOTAL	393

Variante: le bouillon de poulet peut être remplacé par un bouillon de boeuf.

Présentation et service: cette sauce aux champignons accompagne bien les volailles et les viandes.

Utilisation de la recette modifiée
si vous suivez une diète

Réduite en sodium (sel) (hypertension, rétention d'eau, cardiaques)	Réduite en cholestérol et/ou gras (maladies du coeur, foie, athérosclérose)	Calculée pour diabétiques (équivalences)
Poudre d'oignon au lieu de sel	Margarine polyinsaturée au lieu de beurre	1 portion = 1 lait + 1/2 pain

Conservation: moins bon réchauffé. Ne se congèle pas.

Préparation: bien mélanger la farine avec les champignons au début pour empêcher la formation de grumeaux dans la sauce.

Pour personne seule: le quart de la recette vous donnera une portion.

Quantités pour une portion:

114 g (1/2 t.) de champignons frais tranchés
1/2 c. à soupe de beurre ou margarine
1 c. à soupe de farine
Pincée de sel et de poivre
2 c. à soupe de bouillon de poulet
20 mL (1/3 t.) de lait écrémé

Riz à l'espagnole

Ustensiles

1 grand poêlon téflonisé	1 planche
1 ouvre-boîte	1 petit couteau tranchant
1 cuillère en bois	Tasses à mesurer

Recette originale

454 g (2 t.) de riz blanc cuit	*370*
6 tranches de bacon coupé en morceaux	*300*
114 g (1/2 t.) d'oignons hachés	*20*
1 poivron vert haché	*15*
340 g (1 1/2 t.) de tomates en conserve	*75*
Sel et poivre au goût	*0*

1. Cuire ensemble dans le grand poêlon le bacon et l'oignon jusqu'à ce qu'ils soient dorés.
2. Ajouter le riz, le poivron et les tomates. Assaisonner au goût.
3. Laisser mijoter quelques minutes et servir.

Temps de préparation: 10 minutes
Temps de cuisson: 10 à 15 minutes
Rendement: 4 portions

Recette modifiée

---

454 g (2 t.) de riz brun cuit	*370*
114 g (1/2 t.) de céleri haché	*8*
114 g (1/2 t.) d'oignons hachés	*20*
1 poivron vert haché	*15*
340 g (1 1/2 t.) de tomates en conserve	*75*
Sel et poivre au goût	*0*

---

1. Cuire ensemble dans le grand poêlon téflonisé le céleri et l'oignon jusqu'à ce qu'ils soient dorés.
2. Ajouter le riz, le poivron et les tomates. Assaisonner au goût.
3. Laisser mijoter quelques minutes et servir.

Valeur nutritive comparée

Valeur nutritive par portion	Recette originale	Recette modifiée
Calories	195 calories	122 calories
Protéines	6,5 g	3,0 g
Lipides (gras)	6,0 g	trace
Glucides (sucres)	27,0 g	26,0 g

Avantages de la recette modifiée

1 1/2 fois moins de calories.
6 fois moins de gras (aucun).

Dans un repas complet (menu suggéré)

	Calories
170 g (3/4 t.) de salade verte	11
70 g (3 oz) de poulet (sans peau, sans sauce)	115
1 portion de riz à l'espagnole, recette modifiée	122
114 g (1/2 t.) de haricots jaunes	24
125 mL (1/2 t.) de yogourt aux fruits, écrémé	105
TOTAL	377

Variantes: on peut remplacer le poivron vert par un poivron rouge et les oignons par des échalottes hachées. On peut utiliser du riz blanc étuvé. On pourrait ajouter un peu de basilic ou d'origan.

Ingrédients facultatifs: un peu de basilic ou d'origan.

Présentation et service: ce plat accompagne le mets principal. Pour en faire un repas complet, on pourrait lui ajouter 240 g (8 oz) de boeuf haché ou de poulet cuit.

Variations saisonnières: l'été et l'automne, on peut remplacer les tomates en conserve par 4 tomates fraîches hachées.

Utilisation de la recette modifiée
si vous suivez une diète

Réduite en sodium (sel) (hypertension, rétention d'eau, cardiaques)	Réduite en cholestérol et ou/gras (maladies du coeur, foie, athérosclérose)	Calculée pour diabétiques (équivalences)
Utiliser des tomates fraîches Remplacer le sel par du basilic ou de l'origan	Permis	1 portion = 1 pain + 1 légume B

Conservation: sans viande, se garde de trois à quatre jours au réfrigérateur. Avec viande: deux jours. Ne se congèle pas. Se réchauffe bien.

Préparation: utiliser de préférence un poêlon téflonisé.

Pour personne seule: une demi-recette = 2 portions.

Nouilles à la créole

Ustensiles

1 casserole	Tasses et cuillères
1 plat allant au four	à mesurer
1 passoire	1 planche
1 ouvre-boîte	1 petit couteau tranchant
1 grand poêlon	1 cuillère en bois

Recette originale

340 g (1 1/2 t.) de nouilles non cuites	*465*
8 tranches de bacon	*400*
57 g (1/4 t.) de beurre ou de margarine	*400*
1 gousse d'ail coupée en deux	*3*
114 g (1/2 t.) d'oignons hachés	*20*
568 g (2 1/2 t.) de tomates en conserve	*125*
2 tranches de pain blanc émietté	*164*
1 c. à café de sel	*0*
1 c. à café de sucre	*15*
28 g (1/4 t.) de parmesan râpé	*112*

1. Cuire les nouilles dans l'eau bouillante salée et égoutter.

2. Couper les tranches de bacon en 2 et cuire jusqu'à ce qu'il soit croustillant.

3. Faire fondre le beurre dans le grand poêlon, ajouter l'ail et l'oignon, cuire 5 minutes, puis retirer.

4. Ajouter les tomates, les miettes de pain, le sel, le sucre, le fromage et cuire à feu doux 10 minutes.

5. Placer les nouilles et le bacon dans un plat graissé allant au four.

6. Ajouter les autres ingrédients, mélanger délicatement.

7. Cuire 30 minutes à 180°C (350°F).

Temps de préparation: 20 minutes
Temps de cuisson: 30 minutes
Rendement: 6 portions de 250 mL (1 tasse)

Recette modifiée

---

340 g (1 1/2 t.) de nouilles non cuites	*465*
114 g (1/2 t.) de céleri haché	*8*
1 c. à soupe de beurre ou de margarine	*100*
1 gousse d'ail coupée en deux	*3*
114 g (1/2 t.) d'oignons hachés	*20*
568 g (2 1/2 t.) de tomates en conserve	*125*
2 tranches de pain de blé entier émietté	*144*
1 c. à café de sel	*0*
Omettre le sucre	
2 c. à soupe de parmesan râpé	*56*

---

1. Cuire les nouilles dans l'eau bouillante et égoutter.
2. Faire fondre le beurre ou la margarine dans le grand poêlon, ajouter l'ail, l'oignon et le céleri, cuire 5 minutes, puis retirer.
3. Ajouter les tomates, les miettes de pain, le sel, le fromage et cuire à feu doux 10 minutes.
4. Placer les nouilles dans un plat graissé allant au four.
5. Ajouter les autres ingrédients, mélanger délicatement.
6. Cuire 30 minutes à 180°C (350°F).

Valeur nutritive comparée

Valeur nutritive par portion	Recette originale	Recette modifiée
Calories	283 calories	154 calories
Protéines	9,0 g	7,0 g
Lipides (gras)	15,0 g	3,0 g
Glucides (sucres)	27,5 g	26,5 g

Avantages de la recette modifiée:

1 1/2 fois moins de calories.
5 fois moins de gras.

Dans un repas complet (menu suggéré)

	Calories
250 mL (1 t.) de consommé de boeuf	30
3 oz de lapin	152
1 portion de nouilles à la créole, recette modifiée	154
1 feuille de laitue et 3 tranches de tomate	23
1 pomme	70
TOTAL	429

Variantes: on peut ajouter d'autres légumes à la recette: poivron, céleri, etc. Le fromage parmesan peut être remplacé par du fromage écrémé râpé.

Variations saisonnières: l'été et l'automne, remplacer les tomates en conserve par 6 tomates fraîches hachées.

Utilisation de la recette modifiée
si vous suivez une diète

Réduite en sodium (sel) (hypertension, rétention d'eau, cardiaques)	Réduite en cholestérol et/ou gras (maladies du coeur, foie, athérosclérose)	Calculée pour diabétiques (équivalences)
Employer des tomates fraîches Remplacer le sel par du basilic ou de l'origan	Margarine polyinsaturée au lieu du beurre	1 portion = 1 1/2 pain + 1/2 gras + 1 légume B

Conservation: deux jours au réfrigérateur. Ne se congèle pas. Se réchauffe bien.

Utilisation des restes: des tranches de pain séchées peuvent être utilisées dans cette recette.

Pour personne seule: le tiers de la recette vous donnera 2 portions.

Quantités pour le tiers de la recette:

114 g (1/2 t.) de nouilles non cuites
3 c. à soupe de céleri haché
1 c. à café de beurre ou de margarine
1/2 gousse d'ail hachée
3 c. à soupe d'oignons hachés
1/2 tranche de pain de blé entier émietté
1/4 c. à café de sel
2 c. à café de fromage parmesan

Tomates farcies

Ustensiles

1 bain-marie
1 râpe
1 cuillère en bois
Tasses et cuillères
  à mesurer

1 plat allant au four
1 ouvre-boîte
1 cuillère
1 petit couteau tranchant

Recette originale

6 tomates moyennes	*195*
250 mL (1 t.) de sauce béchamel	*430*
120 g (4 oz) de fromage Cheddar râpé	*464*
340 g (1 1/2 t.) de riz blanc cuit	*278*
Sel et poivre au goût	*0*
14 g (1/4 t.) de chapelure de pain	*86*
2 c. à soupe de beurre fondu	*200*

1. Couper une tranche sur le dessus des tomates.
2. Vider les tomates en retirant les graines et une partie de la pulpe.
3. Saupoudrer de sel l'intérieur des tomates et laisser drainer 10 minutes.
4. Mêler la sauce et le fromage et faire chauffer au bain-marie en remuant jusqu'à ce que le fromage soit fondu.
5. Ajouter le riz. Assaisonner. Farcir les tomates de ce mélange.
6. Mélanger la chapelure et le beurre fondu et en saupoudrer les tomates.
7. Cuire 30 minutes à 190°C (375°F).

Temps de préparation: 15 minutes
Temps de cuisson: 30 minutes
Rendement: 6 portions

Recette modifiée

6 tomates moyennes	*195*
250 mL (1 t.) de crème de céleri condensée	*154*
120 g (4 oz) de fromage écrémé* râpé	*204*
340 g (1 1/2 t.) de riz brun cuit	*278*
Sel et poivre au goût	*0*
2 c. à soupe de chapelure de pain de blé entier	*43*
Omettre le beurre	*0*

---

1. Couper une tranche sur le dessus des tomates.
2. Vider les tomates en retirant les graines et une partie de la pulpe.
3. Saupoudrer de sel l'intérieur des tomates et laisser drainer 10 minutes.
4. Mêler la crème de céleri et le fromage et faire chauffer au bain-marie en remuant jusqu'à ce que le fromage soit fondu.
5. Ajouter le riz. Assaisonner. Farcir les tomates de ce mélange.
6. Saupoudrer de chapelure.
7. Cuire 30 minutes à 190°C (375°F).

---

* *Fromage écrémé: blanc de Beauce (St-Georges); jaune: Hi-Lo ou Light'n Lively*

Valeur nutritive comparée

Valeur nutritive par portion	Recette originale	Recette modifiée
Calories	273 calories	146 calories
Protéines	9,5 g	8,0 g
Lipides (gras)	15,0 g	3,0 g
Glucides (sucres)	23,5 g	23,5 g

Avantages de la recette modifiée

2 fois moins de calories.

5 fois moins de gras.

Dans un repas complet (menu suggéré)

	Calories
250 mL (1 t.) de bouillon de poulet	13
90 g (3 oz) de filet d'aiglefin	140
1 tomate farcie, recette modifiée	146
1 pomme de terre au four	80
2 feuilles de laitue	10
125 mL (1/2 t.) de yogourt nature (avec essence de vanille)	50
TOTAL	439

Variantes: on peut utiliser des poivrons verts au lieu des tomates; à ce moment-là, on supprime l'étape 3 du mode de préparation. Faire bouillir les poivrons 5 minutes, les égoutter avant de les farcir.

Le riz blanc peut aussi être utilisé. La crème de champignons ou de poulet peut remplacer la crème de céleri. On peut utiliser le fromage écrémé jaune (Hi-Lo ou Light'n Lively) ou blanc (St-Georges) selon les goûts.

Présentation et service: se sert comme accompagnement du mets principal ou comme entrée.

Variations saisonnières: ce mets revient beaucoup moins cher l'été ou l'automne.

Utilisation de la recette modifiée si vous suivez une diète

Réduite en sodium (sel) (hypertension, rétention d'eau, cardiaques)	Réduite en cholestérol et/ou gras (maladies du coeur, foie, athérosclérose)	Calculée pour diabétiques (équivalences)
À éviter	Permis	1 portion = 1 pain + 1/2 viande + 1 légume B

Conservation: ne se réchauffe pas bien. Ne se congèle pas.

Préparation: le riz peut être cuit à l'avance pour accélérer la préparation.

Pour personne seule: faire des invitations pour déguster cette recette.

Sauce à salade

Ustensiles

1 bol à mélanger	1 planche
1 ouvre-boîte	1 petit couteau tranchant
Tasses et cuillères	1 cuillère
à mesurer	

Recette originale

---

1 bte de 300 g (10 oz) de soupe aux tomates condensée	*225*
250 mL (1 t.) de mayonnaise	*1760*
57 g (1/4 t.) de marinades sucrées hachées	*72*
1 oeuf dur haché	*80*
1 c. à soupe d'oignon haché finement	*5*
1/2 c. à café de moutarde préparée	*2*
1 c. à soupe de jus de citron	*5*

---

1. Mélanger tous les ingrédients ensemble.
2. Réfrigérer.

Temps de préparation: 10 minutes
Rendement: Environ 625 mL (2 1/2 t.) = 40 portions de 1 c.
à soupe

Recette modifiée

---

1 bte de 300 g (10 oz) de soupe aux tomates condensée.................. 225
250 mL (1 t.) de yogourt nature écrémé 100
57 g (1/4 t.) de marinades non sucrées hachées.......................... 5
1 oeuf dur haché... 80
1 c. à soupe d'oignon haché finement 5
1/2 c. à café de moutarde préparée... 2
1 c. à soupe de jus de citron... 5

---

1. Mélanger tous les ingrédients ensemble.
2. Réfrigérer.

Valeur nutritive comparée

Valeur nutritive par portion	Recette originale	Recette modifiée
Calories	55 calories	23 calories
Protéines	trace	0,5 g
Lipides (gras)	5,0 g	0,3 g
Glucides (sucres)	1,0 g	1,2 g

Avantages de la recette modifiée:

2 1/2 fois moins de calories.
16 fois moins de gras.

Dans un repas complet (menu suggéré)

	Calories
170 g (3/4 t.) de salade verte	11
1 c. à soupe de sauce à salade, recette modifiée	23
1 hamburger, c'est-à-dire:	
1 petit pain à hamburger et	164
60 g (2 oz) de boeuf haché maigre grillé	125
1 poire fraîche ou en conserve, rincée	100
TOTAL	423

Variantes: remplacer la crème de tomate par du ketchup rouge ou de la sauce chili. Les marinades hachées peuvent être remplacées par du concombre haché et l'oignon par des échalottes hachées.

Ingrédients facultatifs: oeuf dur, oignon haché, marinades hachées.

Présentation et service: peut également se servir comme sauce trempette avec un plateau de légumes crus ou comme sauce pour les fondues chinoises et bourguignonnes.

Utilisation de la recette modifiée si vous suivez une diète

Réduite en sodium (sel) (hypertension, rétention d'eau, cardiaques)	Réduite en cholestérol et/ou gras (maladies du coeur, foie, athérosclérose)	Calculée pour diabétiques (équivalences)
À éviter	Ne pas ajouter l'oeuf	Équivalence nulle

Conservation: au réfrigérateur jusqu'à la date de conservation indiquée sur le contenant de yogourt commercial ou environ 3 semaines si l'on utilise du yogourt maison. Avec la recette modifiée, on diminue les risques de contamination, très fréquents avec l'utilisation de la mayonnaise. Ne se congèle pas.

Autres remarques: ne goûte pas le yogourt.

Pour personne seule:

Quantités pour 125 mL (1/2 tasse) de sauce à salade:

60 mL (1/4 tasse) de crème de tomate condensée
3 c. à soupe de yogourt nature
1 c. à soupe de marinades hachées
1/2 c. à café de jus de citron
Pincée de moutarde sèche
Omettre l'oeuf haché

Chou-fleur gratiné

Ustensiles

1 bain-marie
1 cuillère en bois
Tasses et cuillère
à mesurer

1 râpe pour le fromage
1 planche
1 petit couteau tranchant
1 plat allant au four

Recette originale

1 chou-fleur moyen	*50*
3 c. à soupe de beurre ou de margarine	*300*
375 mL (1 1/2 t.) de lait entier	*240*
3 c. à soupe de farine tout usage	*57*
3/4 c. à café de sel	*0*
Pincée de muscade	*0*
30 g (1 oz) de fromage Cheddar râpé	*116*

1. Défaire le chou-fleur en fleurons en enlevant les feuilles. Laver et cuire à l'eau bouillante salée environ 5 minutes. Égoutter et déposer dans un plat allant au four.

2. Faire fondre le beurre ou la margarine dans la partie supérieure du bain-marie. Ajouter la farine et *bien mêler*.

3. Ajouter graduellement le lait en remuant constamment jusqu'à épaississement. Retirer du feu.

4. Ajouter le sel et la muscade et verser sur le chou-fleur.

5. Saupoudrer de fromage râpé.

6. Cuire 20 à 25 min. à 190°C (375°F).

Temps de préparation: 20 minutes
Temps de cuisson: 20 à 25 minutes
Rendement: 6 portions

Recette modifiée

---

1 chou-fleur moyen	*50*
4 c. à café de beurre ou de margarine	*140*
375 mL (1 1/2 t.) de lait écrémé	*135*
3 c. à soupe de farine tout-usage	*57*
3/4 c. à café de sel	*0*
Pincée de muscade	*0*
30 g (1 oz) de fromage écrémé râpé*	*51*

---

1. Défaire le chou-fleur en fleurons en enlevant les feuilles. Laver et cuire à l'eau bouillante salée environ 5 minutes. Égoutter et déposer dans un plat allant au four.
2. Faire fondre le beurre ou la margarine dans la partie supérieure du bain-marie. Ajouter la farine et *bien mêler*.
3. Ajouter graduellement le lait en remuant constamment jusqu'à épaississement. Retirer du feu.
4. Ajouter le sel et la muscade et verser sur le chou-fleur.
5. Saupoudrer de fromage râpé.
6. Cuire 20 à 25 min. à 190°C (375°F).

---

* *Fromage écrémé blanc de Beauce: St-Georges*

Valeur nutritive comparée

Valeur nutritive par portion	Recette originale	Recette modifiée
Calories	127 calories	72 calories
Protéines	4,5 g	4,5 g
Lipides (gras)	9,0 g	2,0 g
Glucides (sucres)	7,0 g	7,0 g

Avantages de la recette modifiée

Presque 2 fois moins de calories.
Autant de protéines.
4 1/2 fois moins de gras.

Dans un repas complet (menu suggéré)

	Calories
125 mL (1/2 t.) de soupe au boeuf et aux nouilles	35
2 oeufs pochés	160
1 portion de chou-fleur gratiné, recette modifiée	72
1 tranche de pain de blé entier	72
114 g (1/2 t.) de betteraves	25
125 mL (1/2 t.) de compote de pommes non sucrée	50
TOTAL	414

Variantes: la recette de base peut servir à préparer d'autres légumes gratinés: brocoli, asperges, choux de Bruxelles ou un mélange de plusieurs légumes.

Ingrédient facultatif: la muscade.

Présentation et service: on peut verser la préparation dans des ramequins ou des coquilles individuels.

Variations saisonnières: utiliser de préférence les légumes de saison ou des légumes congelés.

Utilisation de la recette modifiée si vous suivez une diète

Réduite en sodium (sel) (hypertension, rétention d'eau, cardiaques)	Réduite en cholestérol et/ou gras (maladies du coeur, foie, athérosclérose)	Calculée pour diabétiques (équivalences)
Remplacer le sel par 1/4 c. thé de poudre d'oignon	Recommandé	1 portion = 1/2 pain + 1/2 gras + 1/2 lait écrémé

Conservation: 1 jour au réfrigérateur. Peut se réchauffer s'il en reste. Ne pas congeler.

Préparation: utiliser de préférence un fromage non coloré (blanc) St-Georges pour faire gratiner. Il est important de bien mélanger le beurre ou la margarine avec la farine au début, pour empêcher la formation de grumeaux. Si l'on utilise des légumes verts, il est préférable de les faire cuire sans couvercle durant les 5 premières minutes afin de leur conserver une belle couleur verte.

Autres remarques: augmente la teneur en calcium du régime alimentaire. Notons aussi que les légumes de la famille du chou (chou, chou-fleur, brocoli, choux de Bruxelles) sont riches en vitamine C.

Pour personne seule: préparer le tiers de la recette, ce qui donnera 2 portions.

Trempette au fromage

Ustensiles

1 planche	Tasses et cuillères
1 petit couteau tranchant	à mesurer
1 presse-jus	1 cuillère
1 bol à mélanger	1 fourchette

Recette originale

2 c. à soupe de ciboulette hachée finement	*2*
2 gousses d'ail hachées finement	*6*
227 g (1 t.) de cresson haché finement	*2*
226 g (1 t.) de fromage cottage à la crème	*240*
226 g (1 t.) de fromage à la crème	*240*
165 mL (2/3 t.) de crème sure	*304*
Jus de 1/2 citron	*5*
Sel et poivre	*0*

1. Bien mélanger tous les ingrédients ensemble. Laisser reposer toute la nuit afin que les saveurs se mêlent.
2. Servir avec des craquelins.

Temps de préparation: 15 minutes
Rendement: 6 portions

Recette modifiée

2 c. à soupe de ciboulette hachée finement	2
2 gousses d'ail hachées finement.................................	6
227 g (1 t.) de cresson haché finement	2
226 g (1 t.) de fromage cottage à la crème	240
226 g (1 t.) de fromage cottage sans crème	195
165 mL (2/3 t.) de yogourt nature écrémé	67
Jus de 1/2 citron	5
Sel et poivre	0

1. Bien mélanger tous les ingrédients ensemble. Laisser reposer toute la nuit afin que les saveurs se mêlent.

2. Servir avec des crudités.

Valeur nutritive comparée

Valeur nutritive par portion	Recette originale	Recette modifiée
Calories	233 calories	86 calories
Protéines	9,0 g	13,0 g
Lipides (gras)	20,0 g	2,0 g
Glucides (sucres)	4,0 g	4,0 g

Avantages de la recette modifiée

3 fois moins de calories.
1 1/2 fois plus de protéines.
10 fois moins de gras.

Dans un repas végétarien (menu suggéré)

	Calories
Bâtonnets de céleri et carottes	14
avec 1 portion de trempette au	
fromage, recette modifiée	86
250 mL (1 t.) de soupe aux pois	158
1 tranche de pain de blé entier	72
1 pomme	70
TOTAL	400

Variantes: utiliser des échalottes hachées au lieu de la ciboulette. Le cresson peut être remplacé par des épinards hachés finement.

Présentation et service: on peut façonner une boule de fromage et l'enrober de persil haché. Déposer la boule de fromage au centre d'une assiette de service. Entourer de légumes crus.

Variations saisonnières: utiliser les légumes de saison pour servir avec la trempette.

Utilisation de la recette modifiée si vous suivez une diète

Réduite en sodium (sel) (hypertension, rétention d'eau, cardiaques)	Réduite en cholestérol et/ou gras (maladies du coeur, foie, athérosclérose)	Calculée pour diabétiques (équivalences)
Ne pas ajouter de sel	Recommandée	1 portion = 1 lait écrémé + 1 viande maigre

Conservation: trois à quatre jours au réfrigérateur. Ne se congèle pas.

Préparation: meilleure quand préparée la veille.

Autres remarques: plat très riche en calcium.

Pour personne seule: faire le tiers de la recette pour obtenir 2 portions.

Quantités (1/3 de la recette):
2 c. à café de ciboulette hachée
Sel et poivre
1/2 gousse d'ail hachée
1 c. à café de jus de citron
75 g (1/3 t.) de cresson haché
75 g (1/3 t.) de fromage cottage à la crème
75 g (1/3 t.) de fromage cottage sans crème

Pommes de terre et oignons au gratin

Ustensiles

1 bain-marie	1 planche
1 chaudron moyen	1 petit couteau tranchant
1 plat allant au four	1 cuillère en bois
Tasses et cuillères	1 râpe
à mesurer	

Recette originale

2 gros oignons	*80*
4 pommes de terre moyennes	*304*
57 g (1/4 t.) de beurre ou de margarine	*400*
28 g (1/4 t.) de farine tout-usage	*97*
375 mL (1 1/2 t.) de lait entier	*240*
Sel et poivre	*0*
60 g (2 oz) de fromage Cheddar râpé	*232*

---

1. Couper les oignons en tranches minces et les pommes de terre en tranches épaisses.
2. Cuire dans l'eau bouillante jusqu'à ce que les légumes soient tendres. Égoutter.
3. Faire fondre la margarine dans la partie supérieure du bain-marie. Ajouter la farine et bien mêler. Ajouter le lait graduellement en remuant constamment jusqu'à épaississement.
4. Couvrir et laisser cuire 10 minutes au bain-marie. Assaisonner.
5. Disposer les légumes dans un plat graissé allant au four. Recouvrir avec la sauce.
6. Saupoudrer de fromage râpé et cuire sous le gril jusqu'à ce que le tout soit croustillant et doré.

Temps de préparation: 10 minutes
Temps de cuisson: 30 minutes
Rendement: 6 portions

Recette modifiée

2 gros oignons	*80*
4 pommes de terre moyennes	*304*
2 c. à soupe de beurre ou de margarine	*200*
28 g (1/4 t.) de farine tout-usage	*97*
375 mL (1 1/2 t.) de lait écrémé	*135*
60 g (2 oz) de fromage écrémé* râpé	*102*
Sel et poivre	*0*

1. Couper les oignons en tranches minces et les pommes de terre en tranches épaisses.
2. Cuire dans l'eau bouillante jusqu'à ce que les légumes soient tendres. Égoutter.
3. Faire fondre le beurre ou la margarine dans la partie supérieure du bain-marie. Ajouter la farine et bien mêler. Ajouter le lait graduellement en remuant constamment jusqu'à épaississement.
4. Couvrir et laisser cuire 10 minutes au bain-marie. Assaisonner.
5. Disposer les légumes dans un plat graissé allant au four. Recouvrir avec la sauce.
6. Saupoudrer de fromage râpé et cuire sous le gril jusqu'à ce que le tout soit croustillant et doré.

---

* *Fromage écrémé blanc de Beauce: St-Georges*

Valeur nutritive comparée

Valeur nutritive par portion	Recette originale	Recette modifiée
Calories	225 calories	153 calories
Protéines	7,0 g	7,0 g
Lipides (gras)	12,0 g	4,0 g
Glucides (sucres)	21,0 g	22,0 g

Avantages de la recette modifiée

1 1/2 fois moins de calories.
Autant de protéines.
3 fois moins de gras.

Dans un repas complet (menu suggéré)

	Calories
125 mL (1/2 t.) de jus de tomate	23
90 g (3 oz) de poulet rôti (sans peau, sans sauce)	115
1 feuille de laitue et 1/2 tomate tranchée	23
1 portion de pommes de terre et oignons au gratin, recette modifiée	153
125 mL (1/2 t.) de yogourt aux fruits, écrémé	105
TOTAL	419

Variante: on peut remplacer les oignons par des poireaux hachés.

Présentation et service: peut constituer un repas complet si l'on ajoute 250 g (8 oz) de poulet ou de poisson cuit haché.

Utilisation de la recette modifiée si vous suivez une diète

Réduite en sodium (sel) (hypertension, rétention d'eau, cardiaques)	Réduite en cholestérol et/ou gras (maladies du coeur, foie, athérosclérose)	Calculée pour diabétiques (équivalences)
Remplacer le sel par la poudre d'oignon	Remplacer le beurre par une margarine polyinsaturée	1 portion = 1 pain + 1 gras + 1 lait écrémé

Conservation: environ 2 jours au réfrigérateur. Se réchauffe bien au four. Ne se congèle pas.

Préparation: utiliser un fromage écrémé non coloré (blanc St-Georges) de préférence.

Pour personne seule: faire le tiers de la recette pour obtenir 2 portions.

Quantités pour 1/3 de la recette
1 petit oignon
2 petites pommes de terre
2 c. à café de beurre ou de margarine
4 c. à café de farine tout-usage
125 mL (1/2 t.) de lait écrémé
20 g (2/3 oz) de fromage écrémé blanc St-Georges
Sel et poivre
    Pour un repas complet, ajouter 90 g (3 oz) de poulet ou de poisson cuit haché.

METS
PRINCIPAUX

Foies de poulet aux champignons

Ustensiles

1 grand poêlon	Tasses et cuillères
1 bain-marie	à mesurer
1 cuillère en bois	1 planche
	1 petit couteau tranchant

Recette originale

---

75 g (1/3 t.) de beurre ou de margarine *535*
454 g (1 lb) de foies de poulet en morceaux *585*
454 g (2 t.) de champignons tranchés *102*
114 g (1/2 t.) d'oignon haché *20*
37 g (1/3 t.) de farine *129*
1/2 c. à café de sel *0*
1/2 c. à café de paprika *0*
500 mL (2 t.) de bouillon de poulet *26*
250 mL (1 t.) de crème à 15 % *414*

---

1. Faire fondre le beurre ou la margarine dans un grand poêlon, ajouter les morceaux de foies de poulet, les champignons et les oignons et cuire à feu doux jusqu'à ce que le foie soit tendre.

2. Ajouter farine, sel et paprika et bien mêler.

3. Ajouter le bouillon graduellement en remuant constamment jusqu'à épaississement.

4. Verser dans un bain-marie. Ajouter la crème et bien mêler.

5. Chauffer jusqu'au point d'ébullition. Retirer du feu et servir aussitôt sur du riz.

Temps de préparation et de cuisson: 30 minutes
Rendement: 6 portions

Recette modifiée

---

3 c. à soupe de beurre ou de margarine	*300*
454 g (1 lb) de foies de poulet en morceaux	*585*
454 g (2 t.) de champignons frais tranchés	*102*
114 g (1/2 t.) d'oignon haché	*20*
37 g (1/3 t.) de farine	*129*
1/2 c. à café de sel	*0*
1/2 c. à café de paprika	*0*
500 mL (2 t.) de bouillon de poulet	*26*
250 mL (1 t.) de lait écrémé	*90*

---

1. Faire fondre le beurre ou la margarine dans un grand poêlon, ajouter les morceaux de foies de poulet, les champignons et les oignons et cuire à feu doux jusqu'à ce que le foie soit tendre.
2. Ajouter farine, sel et paprika et bien mêler.
3. Ajouter graduellement le bouillon de poulet en remuant constamment jusqu'à épaississement.
4. Verser dans un bain-marie. Ajouter le lait et bien mêler.
5. Chauffer jusqu'au point d'ébullition. Retirer du feu et servir sur du riz.

Valeur nutritive comparée

Valeur nutritive par portion	Recette originale	Recette modifiée
Calories	302 calories	209 calories
Protéines	19,0 g	19,0 g
Lipides (gras)	19,5 g	8,0 g
Glucides (sucres)	10,5 g	11,5 g

Avantages de la recette modifiée

1 1/2 fois moins de calories.
Autant de protéines.
2 1/2 fois moins de gras.

Dans un repas complet (menu suggéré)

	Calories
125 mL (1/2 t.) de jus de tomate	23
1 portion de foies de poulet aux champignons, recette modifiée	209
114 g (1/2 t.) de riz brun cuit	92
114 g (1/2 t.) de brocoli	20
1 pêche fraîche ou en conserve, rincée	35
TOTAL	379

Variantes: les foies de poulet peuvent être remplacés par d'autres sortes de foies (boeuf, veau, porc). D'autres légumes (céleri, poivron vert, etc.) peuvent être ajoutés. Des échalottes peuvent remplacer les oignons et du bouillon de boeuf par le bouillon de poulet.

Présentation et service: servir sur du riz, décorer de persil et de quartiers de tomates.

Utilisation de la recette modifiée si vous suivez une diète

Réduite en sodium (sel) (hypertension, rétention d'eau, cardiaques)	Réduite en cholestérol et/ou gras (maladies du coeur, foie, athérosclérose)	Calculée pour diabétiques (équivalences)
À éviter	À éviter	1 portion = 2 viande + 1/2 pain + 1 légume B

Conservation: réchauffé, le foie a tendance à durcir. La congélation n'est pas recommandée non plus pour le foie cuit.

Préparation: éviter la surcuisson du foie, sinon il durcira.

Autres remarques: excellente source de fer et de vitamine A.

Pour personne seule: il serait préférable d'inviter des amis.

Escalopes de veau à la crème

Ustensiles

1 grand poêlon
   avec couvercle
Tasses et cuillères
   à mesurer

1 planche
1 petit couteau tranchant
1 petit bol
1 fourchette
1 assiette

Recette originale

1/2 kg (1 lb) d'escalopes de veau	*708*
28 g (1/2 t.) de chapelure de pain	*172*
1 oeuf battu	*80*
57 g (1/4 t.) de beurre ou de margarine	*400*
60 mL (1/4 t.) de bouillon de boeuf	*8*
1 c. à café de sel	*0*
Pincée de poivre	*0*
375 mL (1 1/2 t.) de crème sure	*684*

1. Tremper les escalopes de veau dans l'oeuf battu, puis les enrober de chapelure.
2. Faire dorer les escalopes des deux côtés dans le beurre ou la margarine.
3. Ajouter le bouillon, le sel et le poivre.
4. Couvrir et laisser mijoter à feu doux environ 40 minutes.
5. Ajouter la crème sure.
6. Réchauffer quelques minutes et servir.

Temps de préparation: 10 minutes
Temps de cuisson: 40 minutes
Rendement: 6 portions

Recette modifiée

1/2 kg (1 lb) d'escalopes de veau	*708*
28 g (1/2 t.) de chapelure de pain	*115*
1 oeuf battu	*80*
2 c. à soupe de beurre ou de margarine	*200*
60 mL (1/4 t.) de bouillon de boeuf	*8*
1 c. à café de sel	*0*
Pincée de poivre	*0*
375 mL (1 1/2 t.) de yogourt nature écrémé	*150*

1. Tremper les escalopes de veau dans l'oeuf battu, puis les enrober de chapelure.
2. Faire dorer les escalopes des deux côtés dans le beurre ou la margarine.
3. Ajouter le bouillon de boeuf, le sel et le poivre.
4. Couvrir et laisser mijoter à feu doux environ 40 minutes.
5. Ajouter le yogourt nature.
6. Réchauffer quelques minutes et servir.

Valeur nutritive comparée

Valeur nutritive par portion	Recette originale	Recette modifiée
Calories	342 calories	210 calories
Protéines	19,0 g	20,0 g
Lipides (gras)	26,5 g	11,0 g
Glucides (sucres)	7,5 g	7,0 g

Avantages de la recette modifiée

1 1/2 fois moins de calories.
Un peu plus de protéines.
2 1/2 fois moins de gras.

Dans un repas complet (menu suggéré)

	Calories
125 mL (1/2 t.) de soupe aux légumes	40
1 portion d'escalopes de veau à la crème, recette modifiée	210
1 petite pomme de terre	80
170 g (3/4 t.) de salade (laitue et tomates)	11
114 g (1/2 t.) de salade de fruits frais ou en conserve, rincée	44
TOTAL	385

Variantes: on peut ajouter des champignons tranchés à la recette. Le bouillon de poulet peut remplacer le bouillon de boeuf.

Présentation et service: utiliser de préférence un poêlon téflonisé pour employer moins de gras lors de la cuisson.

Utilisation de la recette modifiée si vous suivez une diète

Réduite en sodium (sel) (hypertension, rétention d'eau, cardiaques)	Réduite en cholestérol et/ou gras (maladies du coeur, foie, athérosclérose)	Calculée pour diabétiques (équivalences)
Ne pas utiliser de sel	Permis en utilisant une margarine polyinsaturée	1 portion = 2 viande + 1/2 pain + 1/2 lait écrémé

Conservation: ne se réchauffe pas bien. Ne pas congeler, car la sauce aura tendance à se séparer lors de la décongélation.

Préparation: ne pas faire chauffer à feu vif après que le yogourt a été ajouté. La sauce ne doit pas bouillir.

Autres remarques: le yogourt, excellente source de calcium, passe inaperçu dans cette recette. Recommandé à ceux et celles qui ne boivent pas de lait.

Pour personne seule: à préparer pour une réception.

Jambon et oeufs en casserole

Ustensiles

1 bain-marie	1 plat allant au four
1 râpe	1 cuillère en bois
Tasses et cuillères	1 planche
à mesurer	1 petit couteau tranchant

Recette originale

---

57 g (1/4 t.) de beurre ou de margarine	*400*
29 g (1/4 t.) de farine tout-usage	*97*
500 mL (2 t.) de lait entier	*320*
Sel et poivre au goût	*0*
120 g (4 oz) de jambon cuit, coupé en cubes	*246*
4 oeufs durs, tranchés	*320*
60 g (2 oz) de fromage Cheddar râpé	*232*

---

1. Faire fondre le beurre ou la margarine dans la partie supérieure du bain-marie, ajouter la farine et bien mêler.

2. Ajouter graduellement le lait en remuant constamment jusqu'à épaississement.

3. Couvrir et laisser cuire 10 minutes. Assaisonner.

4. Dans une casserole graissée, faire alterner des rangées d'oeufs tranchés et de cubes de jambon.

5. Recouvrir avec la sauce.

6. Saupoudrer de fromage râpé.

7. Cuire 30 minutes à 180°C (350°F).

Temps de préparation: 30 minutes
Temps de cuisson: 30 minutes
Rendement: 4 portions

Recette modifiée

---

2 c. à soupe de beurre ou de margarine *200*
29 g (1/4 t.) de farine tout-usage *97*
500 mL (2 t.) de lait écrémé *180*
Sel et poivre au goût *0*
120 g (4 oz) de jambon cuit, coupé en cubes *246*
4 oeufs cuits durs, tranchés *320*
60 g (2 oz) de fromage écrémé* râpé *102*

---

1. Faire fondre le beurre ou la margarine dans la partie supérieure du bain-marie, ajouter la farine et bien mêler.
2. Ajouter graduellement le lait en remuant constamment jusqu'à épaississement.
3. Couvrir et laisser cuire 10 minutes. Assaisonner.
4. Dans une casserole graissée, faire alterner des rangées d'oeufs tranchés et de cubes de jambon.
5. Recouvrir avec la sauce.
6. Saupoudrer de fromage râpé.
7. Cuire 30 minutes à 180°C (350°F).

---

* *Fromage écrémé blanc de Beauce: St-Georges*

Valeur nutritive comparée

Valeur nutritive par portion	Recette originale	Recette modifiée
Calories	404 calories	286 calories
Protéines	22,0 g	22,0 g
Lipides (gras)	29,5 g	16,5 g
Glucides (sucres)	11,0 g	13,0 g

Avantages de la recette modifiée

1 1/2 fois moins de calories.
Autant de protéines.
2 fois moins de gras.

Dans un repas complet (menu suggéré)

	Calories
125 mL (1/2 t.) de jus de légumes	22
1 portion de jambon et oeufs en casserole, recette modifiée	286
114 g (1/2 t.) de salade de chou cru	12
avec 1/2 c. à soupe de vinaigrette	30
75 g (1/2 t.) de raisins	48
TOTAL	398

Variante: on peut ajouter quelques légumes cuits hachés à la recette: brocoli, asperges, céleri, poivron vert, carottes, oignons, etc.

Présentation et service: on peut diviser la préparation dans quatre ramequins individuels.

Utilisation de la recette modifiée si vous suivez une diète

Réduite en sodium (sel) (hypertension, rétention d'eau, cardiaques)	Réduite en cholestérol et/ou gras (maladies du coeur, foie, athérosclérose)	Calculée pour diabétiques (équivalences)
À éviter	Limiter la quantité	1 portion = 1/2 pain + 1 lait + 2 1/2 viande

Conservation: meilleure si on la consomme immédiatement. Ne se congèle pas.

Préparation: il est important de bien mélanger la farine et la margarine pour empêcher la formation de grumeaux. Utiliser de préférence un fromage écrémé non coloré (blanc).

Utilisation des restes: les restes de jambon s'utilisent bien ici.

Pour personne seule: à préparer lorsque vous avez des invités ou divisez les quantités en quatre pour obtenir une portion individuelle.

Casserole de poulet au brocoli

Ustensiles

1 bain-marie
1 râpe
Tasses et cuillères
   à mesurer

1 plat allant au four
1 cuillère en bois
1 planche
1 petit couteau tranchant

Recette originale

454 g (2 t.) de brocoli cuit en morceaux	*80*
2 c. à soupe de beurre ou de margarine	*200*
57 g (1/4 t.) d'oignons hachés	*10*
2 c. à soupe de poivron vert haché	*3*
2 c. à soupe de farine	*57*
3/4 c. à café de sel	*0*
1/4 c. à café de poivre	*0*
250 mL (1 t.) de lait entier	*160*
454 g (2 t.) de poulet cuit, coupé en cubes	*230*
120 g (4 oz) de fromage Cheddar râpé	*464*

1. Faire fondre le beurre ou la margarine dans la partie supérieure du bain-marie. Ajouter l'oignon et le poivron vert et cuire à feu doux 10 minutes.

2. Ajouter la farine et bien mêler.

3. Ajouter graduellement le lait en remuant constamment jusqu'à épaississement. Assaisonner.

4. Ajouter le poulet et le brocoli et verser dans un plat graissé allant au four.

5. Saupoudrer de fromage râpé.

6. Cuire 30 minutes à 180°C (350°F).

Temps de préparation: 30 minutes
Temps de cuisson: 30 minutes
Rendement: 4 portions

Recette modifiée

---

454 g (2 t.) de brocoli cuit en morceaux	*80*
1 c. à soupe de beurre ou de margarine	*100*
57 g (1/4 t.) d'oignons hachés	*10*
2 c. à soupe de poivron vert haché	*3*
2 c. à soupe de farine tout-usage	*57*
3/4 c. à café de sel	*0*
1/4 c. à café de poivre	*0*
250 mL (1 t.) de lait écrémé	*90*
454 g (2 t.) de poulet cuit, coupé en cubes	*230*
120 g (4 oz) de fromage écrémé* râpé	*204*

---

1. Faire fondre le beurre ou la margarine dans la partie supérieure du bain-marie. Ajouter l'oignon et le poivron vert et cuire à feu doux 10 minutes.
2. Ajouter la farine et bien mêler.
3. Ajouter graduellement le lait en remuant constamment jusqu'à épaississement. Assaisonner.
4. Ajouter le poulet et le brocoli et verser dans un plat graissé allant au four.
5. Saupoudrer de fromage râpé.
6. Cuire 30 minutes à 180°C (350°F).

---

* *Fromage écrémé blanc de Beauce: St-Georges*

Valeur nutritive comparée

Valeur nutritive par portion	Recette originale	Recette modifiée
Calories	301 calories	194 calories
Protéines	22,5 g	21,5 g
Lipides (gras)	17,0 g	6,0 g
Glucides (sucres)	11,0 g	14,0 g

Avantages de la recette modifiée

1 1/2 fois moins de calories.
3 fois moins de gras.

Dans un repas complet (menu suggéré)

	Calories
Crudités: céleri-concombres-radis	14
1 portion de casserole de poulet au brocoli, recette modifiée	194
1 petit pain de blé entier	100
114 g (1/2 t.) de carottes et pois verts	50
75 g (1/2 t.) de raisins frais	45
TOTAL	403

Variantes: le poulet peut être remplacé par des cubes de dinde, le brocoli par des morceaux d'asperges et on peut ajouter des champignons ou d'autres légumes à la recette.

Présentation et service: on peut diviser la préparation dans quatre ramequins individuels. Décorer de persil ou de paprika.

Variations saisonnières: le brocoli congelé est un bon achat surtout pendant l'hiver et cela diminue beaucoup le temps de préparation.

Utilisation de la recette modifiée si vous suivez une diète

Réduite en sodium (sel) (hypertension, rétention d'eau, cardiaques)	Réduite en cholestérol et/ou gras (maladies du coeur, foie, athérosclérose)	Calculée pour diabétiques (équivalences)
Remplacer le sel par 1/2 c. à café de poudre d'oignon	Margarine polyinsaturée au lieu du beurre	1 portion = 2 1/2 viande maigre + 1 pain

Conservation: consommer aussitôt fait, de préférence. Ne pas congeler.

Préparation: utiliser de préférence un fromage écrémé non coloré (blanc). Bien égoutter les légumes avant de les ajouter à la préparation. Il est important de bien mélanger la farine et la margarine pour empêcher la formation de grumeaux.

Utilisation des restes: bonne façon d'utiliser les restes de poulet.

Pour personne seule: invitez des amis ou préparez le quart de la recette pour obtenir une portion individuelle.

Tarte au maïs

Ustensiles

1 assiette à tarte	1 râpe
de 22 cm (9 po)	Tasses à mesurer
1 ouvre-boîte	1 planche
1 passoire	1 petit couteau tranchant
1 bol à mélanger	1 cuillère et 1 fourchette

Recette originale

1 abaisse de pâte non cuite de 22 cm (9 po)	*675*
227 g (1 t.) de maïs en grains	*140*
310 mL (1 1/4 t.) de lait entier	*200*
180 g (6 oz) de fromage Cheddar râpé	*696*
Sel et poivre	*0*
1 tomate en quartiers	*35*
Persil frais pour décorer	*0*
2 oeufs battus	*160*

1. Égoutter le maïs, mélanger avec les oeufs battus, le lait, le fromage et les assaisonnements.
2. Verser dans l'abaisse.
3. Cuire 15 minutes à 230°C (450°F), réduire la chaleur à 180°C (350°F) et laisser cuire environ 30 minutes.
4. Garnir de persil et de quartiers de tomates.

Temps de préparation: 10 minutes
Temps de cuisson: 45 minutes
Rendement: 6 portions

Recette modifiée

---

1 abaisse de pâte non cuite de 22 cm (9 po)	*675*
227 g (1 t.) de maïs en grains	*140*
310 mL (1 1/4 t.) de lait écrémé	*112*
180 g (6 oz) de fromage écrémé* râpé	*306*
Sel et poivre	*0*
1 tomate en quartiers	*35*
Persil pour décorer	*0*
2 oeufs battus	*160*

---

1. Égoutter le maïs, mélanger avec les oeufs battus, le lait, le fromage et les assaisonnements.
2. Verser dans l'abaisse.
3. Cuire 15 minutes à 230°C (450°F), réduire la chaleur à 180°C (350°F) et laisser cuire environ 30 minutes.
4. Garnir de persil et de quartiers de tomates.

---

* *Fromage écrémé blanc de Beauce: Saint-Georges*

Valeur nutritive comparée

Valeur nutritive par portion	Recette originale	Recette modifiée
Calories	318 calories	236 calories
Protéines	13,0 g	12,0 g
Lipides (gras)	19,0 g	12,0 g
Glucides (sucres)	19,0 g	22,0 g

Avantages de la recette modifiée

1 1/2 fois moins de calories.
1 1/2 fois moins de gras.

Dans un repas complet (menu suggéré)

	Calories
125 mL (1/2 t.) de consommé à l'oignon	32
1 portion de tarte au maïs, recette modifiée	236
1 feuille de laitue et 1/2 tomate tranchée	23
1 pêche tranchée avec 113 g (1/4 t.)	
de fromage cottage	95
TOTAL	386

Variantes: on peut remplacer le maïs par d'autres légumes hachés cuits pour faire un mets différent (tarte au brocoli, aux asperges, aux épinards, aux carottes, aux courges). On peut confectionner la croûte de tarte avec de la farine de blé entier.

Présentation et service: décorer de quartiers de tomates et de persil frais.

Variations saisonnières: utiliser les légumes de saison. Hors saison, les légumes congelés sont préférables aux légumes en conserve.

Utilisation de la recette modifiée si vous suivez une diète

Réduite en sodium (sel) (hypertension, rétention d'eau, cardiaques)	Réduite en cholestérol et/ou gras (maladies du coeur, foie, athérosclérose)	Calculée pour diabétiques (équivalences)
À éviter	Faire la croûte de tarte avec de la margarine polyinsaturée Limiter la quantité	1 portion = 1 pain + 1 viande + 1 gras + 1 lait écrémé

Conservation: deux jours au réfrigérateur. Se congèle en portions individuelles après cuisson et refroidissement.

Préparation: il est important de bien égoutter les légumes avant de les ajouter à la préparation. Il faut veiller également à ne pas perforer la croûte de tarte, sinon le mélange liquide s'infiltrera sous la croûte durant la cuisson.

Autres remarques: utiliser de préférence un fromage écrémé non coloré (blanc). Laisser reposer la tarte environ 5 minutes à la sortie du four avant de la servir.

Pour personne seule: faire la recette en entier et congeler les restes en portions individuelles. Décongeler au réfrigérateur selon les besoins et réchauffer au four à 180°C (350°F) durant environ 15 minutes.

Coquilles Saint-Jacques
aux crevettes

Ustensiles

1 bol à mélanger moyen
1 cuillère en bois
1 planche
1 petit couteau tranchant
1 passoire

1 chaudron moyen
4 coquilles
Tasses et cuillères
à mesurer

Recette originale

---

240 g (8 oz) de crevettes congelées ou fraîches	*208*
114 g (1/2 t.) de poivron vert haché.....................................	*8*
114 g (1/2 t.) de céleri haché	*8*
1 c. à soupe d'oignon haché..	*2*
114 g (1/2 t.) de champignons tranchés....................................	*25*
2 c. à soupe de beurre ou de margarine......................................	*200*
250 mL (1 t.) de sauce béchamel (moyenne)	*430*
120 g (4 oz) de fromage Gruyère râpé	*460*
2 c. à soupe de chapelure de pain..	*43*
1 c. à café de sauce Worcestershire	*0*

---

1. Cuire les crevettes dans l'eau bouillante 4 à 5 minutes. Égoutter.

2. Faire revenir dans le beurre ou la margarine: les oignons, le poivron vert, le céleri et les champignons.

3. Mélanger tous les ingrédients ensemble sauf le fromage et la chapelure.

4. Diviser également la préparation dans les 4 coquilles graissées.

5. Saupoudrer de fromage et de chapelure.

6. Cuire 20 minutes à 180°C (350°F).

Temps de préparation: 10 minutes
Temps de cuisson: 20 minutes
Rendement: 4 portions

Recette modifiée

---

240 g (8 oz) de crevettes congelées ou fraîches 208
114 g (1/2 t.) de poivron vert haché 8
114 g (1/2 t.) de céleri haché finement 8
1 c. à soupe d'oignon haché 2
114 g (1/2 t.) de champignons frais cuits tranchés 25
Omettre le beurre ou la margarine 0
250 mL (1 t.) de crème de céleri non diluée 154
120 g (4 oz) de fromage écrémé* râpé 224
Omettre la chapelure 0
1 c. à café de sauce Worcestershire 0

---

1. Cuire les crevettes à l'eau bouillante 2 à 3 minutes. Égoutter.

2. *Ne pas* faire revenir les légumes dans le beurre ou la margarine, mais les mélanger avec tous les autres ingrédients sauf le fromage et la chapelure.

3. Diviser également la préparation dans les 4 coquilles graissées.

4. Saupoudrer de fromage écrémé.

5. Cuire 20 minutes à 180°C (350°F).

---

* *Fromage écrémé blanc de Beauce: St-Georges*

Valeur nutritive comparée

Valeur nutritive par portion	Recette originale	Recette modifiée
Calories	346 calories	156 calories
Protéines	22,0 g	18,0 g
Lipides (gras)	24,0 g	7,0 g
Glucides (sucres)	12,0 g	10,0 g

Avantages de la recette modifiée

2 1/2 fois moins de calories.

3 fois moins de gras.

Dans un repas complet (menu suggéré)

	Calories
250 mL (1 t.) de soupe aux légumes	80
1 portion de coquilles Saint-Jacques aux crevettes, recette modifiée	156
1 petite pomme de terre au four	80
6 tiges d'asperges	20
114 g (1/2 t.) de salade de fruits frais aromatisée avec 1 c. à café de Kirsh	80
TOTAL	416

Variantes: d'autres poissons ou fruits de mer peuvent être utilisés: pétoncles, crabe, homards, saumon, thon, morceaux de filets de poisson ou un mélange de ces poissons. On peut aussi faire des coquilles au poulet en remplaçant les crevettes par 227 g (1 t.) de poulet cuit et coupé en dés. On pourrait également utiliser de la crème de poulet, de champignons, de crevettes ou d'asperges au lieu de la crème de céleri. On peut varier les légumes utilisés: poivron vert, carottes en cubes, pois verts, etc.

Présentation et service: on peut servir ce mets comme entrée en déposant la préparation dans une casserole allant au four. À ce moment-là, la recette donne 8 portions au lieu de 4. Décorer de persil frais ou séché.

Utilisation de la recette modifiée si vous suivez une diète

Réduite en sodium (sel) (hypertension, rétention d'eau, cardiaques)	Réduite en cholestérol et/ou gras (maladies du coeur, foie, athérosclérose)	Calculée pour diabétiques (équivalences)
À éviter	Remplacer les crevettes par du poulet ou un poisson maigre	1 portion 1 viande + 2 lait écrémé

Conservation: deux à trois jours au réfrigérateur. Se congèlent bien.

Préparation: éviter la surcuisson des fruits de mer; les pétoncles et les crevettes durciront à trop cuire. Quant au saumon ou au thon en conserve, il faut bien les égoutter et enlever la peau.

Utilisation des restes: les restes de poulet ou de poisson se transforment en un mets délicieux avec cette recette.

Pour personne seule: faire toute la recette et congeler les portions.

Macaroni au fromage

Ustensiles

1 bain-marie	1 râpe pour le fromage
1 cuillère en bois	1 passoire
Tasses à mesurer	1 plat en pyrex

Recette originale

---

227 g (1 t.) de macaroni en coudes, non cuit *310*

375 g (1 1/2 t.) de lait entier *240*

3 c. à soupe de beurre ou de margarine *300*

3 c. à soupe de farine tout-usage *57*

90 g (3 oz) de fromage Cheddar jaune râpé *348*

3/4 c. à café de sel *0*

Pincée de poivre *0*

14 g (1/4 t.) de chapelure de pain *86*

---

1. Cuire le macaroni dans l'eau bouillante. Égoutter. Rincer à l'eau froide et bien égoutter à nouveau.

2. Faire fondre le beurre ou la margarine dans la partie supérieure du bain-marie. Ajouter la farine et *bien mêler.*

3. Ajouter graduellement le lait en remuant constamment à feu doux jusqu'à épaississement.

4. Ajouter le fromage, le sel et le poivre et brasser jusqu'à ce que le fromage soit fondu.

5. Saupoudrer de chapelure.

6. Cuire 20 minutes à 180°C (350°F).

Temps de préparation: 30 minutes
Temps de cuisson: 20 minutes
Rendement: 4 portions de 170 g (3/4 t.)

Recette modifiée

---

227 g (1 t.) de macaroni en coudes, non cuit *310*
375 mL (1 1/2 t.) de lait écrémé *135*
4 c. à café de beurre ou de margarine *132*
3 c. à soupe de farine tout-usage *57*
90 g (3 oz) de fromage jaune écrémé râpé *153*
3/4 c. à café de sel *0*
Pincé de poivre *0*
Omettre la chapelure. Pincée de persil *0*

---

1. Cuire le macaroni à l'eau bouillante. Égoutter. Rincer à l'eau froide et bien égoutter à nouveau.
2. Faire fondre le beurre ou la margarine dans la partie supérieure du bain-marie. Ajouter la farine et *bien mêler*.
3. Ajouter graduellement le lait en remuant constamment à feu doux jusqu'à épaississement.
4. Ajouter le fromage, le sel et le poivre et brasser jusqu'à ce que le fromage soit fondu.
5. Saupoudrer de persil frais ou séché.
6. Cuire 20 minutes à 180°C (350°F).

---

* *Fromage écrémé jaune: Hi-Lo ou Light'n Lively*

Valeur nutritive comparée

Valeur nutritive par portion	Recette originale	Recette modifiée
Calories	335 calories	197 calories
Protéines	13,0 g	11,5 g
Lipides (gras)	18,4 g	5,0 g
Glucides (sucres)	28,0 g	27,0 g

Avantages de la recette modifiée

Presque 2 1/2 fois moins de calories.
Presque 4 fois moins de gras.

Dans un repas complet (menu suggéré)

	Calories
250 mL (1 t.) de consommé de boeuf	30
1 portion de macaroni au fromage, recette modifiée	197
114 g (1/2 t.) de macédoine de légumes	48
laitue et tomates	23
1 orange en sections, décorée	42
avec 1 c. à soupe de noix de coco	86
TOTAL	426

Variantes: on peut ajouter des morceaux de poulet et des légumes hachés à la recette. D'ailleurs, en ajoutant des morceaux de poulet et des morceaux de brocoli ou d'asperges, on améliore l'apparence du plat et sa valeur nutritive.

Présentation et service: si vous êtes pressé, vous pouvez le consommer non gratiné.

Utilisation de la recette modifiée si vous suivez une diète

Réduite en sodium (sel) (hypertension, rétention d'eau, cardiaques)	Réduite en cholestérol et/ou gras (maladies du coeur, foie, athérosclérose)	Calculée pour diabétiques (équivalences)
Remplacer le sel par 1/4 c. à café de poudre d'oignon	Margarine polyinsaturée au lieu de beurre	1 portion = 1 pain + 1 viande + 1 lait écrémé

Conservation: ne se congèle pas, mais se réchauffe bien à feu doux dans un poêlon téflonisé si on ajoute un peu de lait ou au four, à 325°F, 15 minutes.

Préparation: il est préférable d'utiliser un fromage jaune plutôt qu'un fromage blanc. Il est important de bien mélanger la farine avec le beurre ou la margarine au début pour empêcher la formation de grumeaux.

Autres remarques: excellente façon de diminuer sa consommation de viande et d'augmenter la teneur en calcium du régime alimentaire.

Pour personne seule: la demi-recette donne 2 portions.

Quiche Lorraine

Ustensiles

1 assiette à tarte
   de 22 cm (9 po)
1 poêle à frire
1 bol à mélanger moyen

Tasses et cuillères
   à mesurer
1 râpe pour le fromage
1 planche
1 fourchette

Recette originale

---

6 tranches de bacon cuit, émietté *300*
4 oeufs légèrement battus *320*
1 c. à soupe de farine tout-usage *24*
1 abaisse de tarte non cuite de 22 cm (9 po) *675*
60 g (2 oz) de fromage Gruyère râpé *230*
310 mL (1 1/4 t.) de crème sure *518*
30 g (1 oz) de fromage Gruyère râpé *115*
Sel et poivre *0*

---

1. Faire cuire partiellement l'abaisse à 220°C (425°F).
2. Mettre dans l'abaisse le bacon émietté.
3. Mêler ensemble 60 g (2 oz) de fromage et la farine et en saupoudrer le bacon.
4. Battre les oeufs avec la crème et les assaisonnements.
5. Verser dans l'abaisse et saupoudrer de 30 g (1 oz) de fromage.
6. Cuire 30 à 35 minutes à 190°C (375°F).

Temps de préparation: 10 à 15 minutes
Temps de cuisson: 30 à 35 minutes
Rendement: 6 portions

Recette modifiée

---

227 g (1 t.) de brocoli cuit haché	*40*
4 oeufs légèrement battus	*320*
1 c. à soupe de farine tout-usage	*24*
1 abaisse de tarte non cuite de 22 cm (9 po)	*675*
60 g (2 oz) de fromage écrémé* râpé	*102*
310 mL (1 1/4 t.) de lait écrémé	*112*
30 g (1 oz) de fromage écrémé* râpé	*51*
Sel et poivre	*0*

---

1. Faire cuire partiellement l'abaisse à 220°C (425°F).
2. Mettre dans l'abaisse le brocoli haché.
3. Mêler ensemble 60 g (2 oz) de fromage et la farine et en saupoudrer le brocoli.
4. Battre les oeufs avec le lait et les assaisonnements.
5. Verser dans l'abaisse et saupoudrer de 30 g (1 oz) de fromage.
6. Cuire 30 à 35 minutes à 190°C (375°F).

---

* *Fromage écrémé blanc de Beauce: St-Georges*

Valeur nutritive comparée

Valeur nutritive par portion	Recette originale	Recette modifiée
Calories	364 calories	221 calories
Protéines	14,0 g	11,0 g
Lipides (gras)	29,0 g	13,0 g
Glucides (sucres)	13,0 g	16,0 g

Avantages de la recette modifiée

140 calories en moins.
2 fois moins de gras.

Dans un repas complet (menu suggéré)

	Calories
125 mL (1/2 t.) de soupe-crème de champignons faite avec du lait écrémé	112
1 portion de quiche lorraine, recette modifiée	221
114 g (1/2 t.) de salade de chou et carottes	17
1/2 c. à soupe de vinaigrette	30
114 g (1/2 t.) de salade de fruits frais ou en conserve (dans ce dernier cas, la rincer)	44
TOTAL	424

Variantes: on peut remplacer le brocoli par d'autres légumes cuits hachés finement, tels que épinards ou asperges. On peut préparer la pâte à tarte avec de la farine de blé entier.

Présentation et service: on peut diviser la préparation et la déposer dans 6 croûtes de tarte individuelles. Servir avec salade verte et quartiers de tomates.

Utilisation de la recette modifiée si vous suivez une diète

Réduite en sodium (sel) (hypertension, rétention d'eau, cardiaques)	Réduite en cholestérol et/ou gras (maladies du coeur, foie, athérosclérose)	Calculée pour diabétiques (équivalences)
À éviter	À éviter	1 portion = 1 1/2 viande + 1 pain + 1/2 gras

Conservation: deux jours au réfrigérateur. Se congèle bien après cuisson (en portions individuelles).

Préparation: utiliser un fromage écrémé non coloré (blanc) de préférence. Laisser reposer la quiche environ 5 minutes à la sortie du four avant de la couper en pointes.

Utilisation des restes: se réchauffe bien.

Pour personne seule: faire la quiche en entier et la congeler en portions individuelles *après cuisson*. Décongeler au réfrigérateur et réchauffer à 160°C (325°F) durant environ 15 minutes.

Pizza

Ustensiles

1 grand poêlon téflonisé	1 planche
1 spatule	1 petit couteau tranchant
1 bol à mélanger moyen	1 fourchette et 1 cuillère
Tasses et cuillères	1 râpe pour le fromage
à mesurer	

Recette originale

---

1 pizza toute garnie de 25 cm (10 po) *1280*

Temps de préparation: 15 minutes
Temps de cuisson: 5 minutes
Rendement: 4 portions

Recette modifiée

---

4 oeufs légèrement battus	*320*
60 mL (1/4 t.) d'eau froide	*0*
1 c. à soupe de beure ou de margarine	*100*
1/4 c. à café de sel	*0*
Pincée de poivre	*0*
1 poivron vert en fines lanières	*15*
227 g (1 t.) de champignons frais tranchés	*51*
175 mL (1/3 t.) de sauce tomate	*230*
1/2 c. à café de basilic	
120 g (4 oz) de fromage écrémé râpé	*204*
4 olives noires, dénoyautées et coupées en deux	*20*

---

1. Battre les oeufs avec l'eau et le sel.
2. Faire fondre le beurre ou la margarine dans un grand poêlon et y verser le mélange d'oeufs.
3. Faire cuire comme une omelette. Retirer du feu.
4. Étaler la sauce aux tomates et le basilic sur l'omelette et recouvrir de lanières de poivron vert et de champignons tranchés.
5. Recouvrir de fromage râpé et décorer d'olives noires.
6. Passer sous le gril au four jusqu'à ce que le fromage soit fondu et légèrement doré. Servir aussitôt.

---

* *Fromage écrémé blanc de Beauce: St-Georges*

Valeur nutritive comparée

Valeur nutritive par portion	Recette originale	Recette modifiée
Calories	320 calories	235 calories
Protéines	18,0 g	14,0 g
Lipides (gras)	11,0 g	17,0 g
Glucides (sucres)	37,0 g	10,0 g

Avantages de la recette modifiée

80 calories en moins par pointe.

Dans un repas complet (menu suggéré)

	Calories
1 portion de pizza, recette modifiée	235
1 petite pomme de terre au four	80
227 g (1 t.) de salade verte	15
1/2 c. à soupe de vinaigrette	30
1/2 banane tranchée dans 125 mL (1/2 t.) de	42
yogourt nature écrémé aromatisé à	50
la vanille	
TOTAL	452

Variantes: la sauce à spaghetti ou la sauce chili pourraient remplacer la sauce tomate. Pour une saveur plus douce, on pourrait utiliser la crème de tomate condensée ou la pâte de tomate. On peut aussi ajouter d'autres légumes au goût.

Ingrédients facultatifs: olives noires.

Autre mode de cuisson: faire cuire l'omelette au four plutôt qu'au poêlon.

Présentation et service: on peut verser la préparation dans un moule carré et faire des carrés de pizza plutôt que des pointes. Si vous disposez de plusieurs petits poêlons, vous pouvez également servir des pizzas individuelles. Servir avec une bonne salade verte.

Utilisation de la recette modifiée si vous suivez une diète

Réduite en sodium (sel) (hypertension, rétention d'eau, cardiaques)	Réduite en cholestérol et/ou gras (maladies du coeur, foie, athérosclérose)	Calculée pour diabétiques (équivalences)
Utiliser la pâte de tomate au lieu de la sauce Omettre le sel et les olives	Avec modération Margarine polyinsaturée au lieu de beurre	1 portion = 2 viande + 1 1/2 gras + 1 légume B

Conservation: ne se réchauffe pas et ne se congèle pas. Préparer seulement la quantité nécessaire pour un repas.

Préparation: utiliser un fromage écrémé non coloré (blanc) de préférence.

Utilisation des restes: s'il vous reste un peu de sauce à spaghetti de la veille, vous pouvez l'utiliser dans cette recette.

Autres remarques: excellente façon de diminuer sa consommation de viande.

Pour personne seule: faire une mini-pizza dans un petit poêlon de 15 cm (6 po)

Quantités:

1 oeuf battu avec 1 c. à soupe d'eau
1 c. à café de beurre ou de margarine
Pincée de sel et poivre
1/4 d'un poivron vert en lanières
57 g (1/4 t.) de champignons frais tranchés
3 c. à soupe de sauce tomate
Pincée de basilic
60 g (1 oz) de fromage écrémé râpé
1 olive noire pour décorer

Boeuf Strogonoff

Ustensiles

1 grande casserole	1 planche
avec couvercle	1 petit couteau tranchant
Tasses et cuillères	1 grand poêlon téflonisé
à mesurer	1 cuillère en bois
	1 couteau pour la viande

Recette originale

1/2 kg (1 lb) de boeuf à bouillir maigre	*840*
Sel et poivre	*0*
2 oignons hachés	*80*
6 c. à soupe de beurre	*600*
227 g (1 t.) de champignons frais tranchés	*51*
1 c. à soupe de farine tout-usage	*24*
Pincée de moutarde sèche	*0*
165 mL (2/3 de t.) de crème sure	*304*
1 enveloppe de soupe à l'oignon	*252*
625 mL (2 1/2 t.) d'eau	*0*

1. Couper la viande en lanières minces de 5 cm (2 po) de longueur. Assaisonner.
2. Dorer les oignons dans le beurre. Ajouter les champignons tranchés et la viande et frire pendant 5 minutes.
3. Ajouter l'enveloppe de soupe à l'oignon et l'eau. Laisser mijoter 1 1/2 heure.
4. Retirer du feu. Mélanger la crème sure, la farine et la moutarde et verser dans la casserole.

Temps de préparation: 15 minutes
Temps de cuisson: 75 minutes
Rendement: 6 portions

Recette modifiée

1/2 kg (1 lb) de boeuf à bouillir maigre	*840*
Sel et poivre	*0*
2 oignons hachés	*80*
2 c. à soupe de beurre	*200*
227 g (1 t.) de champignons frais tranchés	*51*
1 c. à soupe de farine tout-usage	*24*
Pincée de moutarde sèche	*0*
165 mL (2/3 t.) de yogourt nature écrémé	*67*
1 enveloppe de soupe à l'oignon	*252*
625 mL (2 1/2 t.) d'eau	*0*

---

1. Couper la viande en lanières minces de 5 cm (2 po) de longueur. Assaisonner.
2. Dorer les oignons dans le beurre. Ajouter les champignons tranchés et la viande et frire pendant 5 minutes.
3. Ajouter l'enveloppe de soupe à l'oignon et l'eau. Laisser mijoter 1 1/2 heure.
4. Retirer du feu. Mélanger le yogourt nature, la farine et la moutarde et verser dans la casserole.

Valeur nutritive comparée

Valeur nutritive par portion	Recette originale	Recette modifié
Calories	358 calories	252 calories
Protéines	27,0 g	28,0 g
Lipides (gras)	22,0 g	11,0 g
Glucides (sucres)	9,0 g	10,0 g

Avantages de la recette modifiée

100 calories en moins.
Un peu plus de protéines.
2 fois moins de gras.

Dans un repas complet (menu suggéré)

	Calories
1 portion de boeuf Strogonoff, recette modifiée	252
114 g (1/2 t.) de carottes en cubes	23
1 petite pomme de terre	80
1 nectarine	36
TOTAL	391

Variantes: utiliser du veau au lieu du boeuf. Varier les légumes dans la recette: par exemple, du poireau haché ou 227 g (1 t.) de petits oignons miniatures plutôt que de gros oignons.

Ingrédients facultatifs: moutarde sèche, champignons.

Autre mode de cuisson: on peut faire cuire à couvert au four à 150°C (300°F) durant environ 3 heures ou jusqu'à ce que la viande soit tendre.

Présentation et service: servir sur du riz ou des nouilles plates. Saupoudrer de persil et accompagner d'une salade ou d'un légume vert.

Utilisation de la recette modifiée si vous suivez une diète

Réduite en sodium (sel) (hypertension, rétention d'eau, cardiaques)	Réduite en cholestérol et/ou gras (maladies du coeur, foie, athérosclérose)	Calculée pour diabétiques (équivalences)
À éviter	Margarine polyinsaturée au lieu de beurre	1 portion = 3 viande + 1 légume B

Conservation: deux jours au réfrigérateur. Se réchauffe bien. Se congèle bien en portions individuelles; décongeler au réfrigérateur et réchauffer au four ou au bain-marie.

Préparation: la viande sera tendre si vous la faites cuire longtemps à feu très lent.

Pour personne seule: préparer le tiers de la recette — vous aurez 2 portions — ou faire la recette en entier et congeler en portions individuelles.

Pain au saumon

Ustensiles

1 moule à pain	1 cuillère en bois
1 bol à mélanger	1 ouvre-boîte
Tasses et cuillères	1 fourchette
à mesurer	

Recette originale

1 bte de 475 g (15 1/2 oz) de saumon	*625*
125 mL (1/2 t.) de mayonnaise	*880*
340 g (1 1/2 t.) de riz cuit	*277*
3 c. à soupe de jus de citron	*15*
2 oeufs battus	*160*
1/2 c. à café de sel	*0*
1 c. à soupe de persil haché	*1*
1 c. à café de poudre d'oignon	*0*
227 g (1/2 t.) de céleri haché	*8*
125 mL (1/2 t.) de lait entier	*80*

1. Écraser le saumon dans son jus après avoir enlevé la peau.
2. Mélanger tous les ingrédients ensemble et verser dans un moule à pain graissé.
3. Cuire 45 à 50 minutes à 180°C (350°F).

Temps de préparation: 10 minutes
Temps de cuisson: 45 à 50 minutes
Rendement: 8 portions

Recette modifiée

---

1 bte de 475 g (15 1/2 oz) de saumon	*625*
125 mL (1/2 t.) de yogourt nature écrémé	*50*
340 g (1 1/2 t.) de riz brun cuit	*277*
3 c. à soupe de jus de citron	*15*
2 oeufs battus	*160*
1/2 c. à café de sel	*0*
1 c. à soupe de persil haché	*1*
1 c. à café de poudre d'oignon	*0*
227 g (1/2 t.) de céleri haché	*8*
125 mL (1/2 t.) de lait écrémé	*45*

---

1. Écraser le saumon dans son jus après avoir enlevé la peau.
2. Mélanger tous les ingrédients ensemble et verser dans un moule à pain graissé.
3. Cuire 45 à 50 minutes à 180°C (350°F).

Valeur nutritive comparée

Valeur nutritive par portion	Recette originale	Recette modifiée
Calories	258 calories	199 calories
Protéines	13,0 g	14,0 g
Lipides (gras)	17,0 g	5,0 g
Glucides (sucres)	9,0 g	10,0 g

Avantages de la recette modifiée

60 calories en moins.
Un peu plus de protéines.
3 1/2 fois moins de gras.

Dans un repas complet (menu suggéré)

	Calories
1 portion de pain au saumon recette modifiée	199
70 mL (1/4 t.) de crème de tomate	34
6 tiges d'asperges	20
114 g (1/2 t.) de pommes de terre en purée	65
125 mL (1/2 t.) de flan à la vanille (écrémé)	105
TOTAL	423

Variantes: le thon peut remplacer le saumon. On peut ajouter d'autres légumes à la recette: poivron vert, oignons, carottes râpées, etc. La poudre d'ail peut remplacer la poudre d'oignon. On peut utiliser du riz blanc étuvé au lieu de riz brun.

Présentation et service: ce pain est délicieux s'il est servi avec une sauce béchamel (à base de lait écrémé) ou une sauce aux tomates. On peut déposer la préparation dans des moules à muffins graissés pour faire des petits pains individuels.

Utilisation de la recette modifiée si vous suivez une diète

Réduite en sodium (sel) (hypertension, rétention d'eau, cardiaques)	Réduite en cholestérol et/ou gras (maladies du coeur, foie, athérosclérose)	Calculée pour diabétiques (équivalences)
À éviter	Permis	1 portion = 1 1/2 viande + 1/2 pain + 1/2 lait écrémé

Conservation: deux jours au réfrigérateur. Se congèle bien après cuisson en portions individuelles. Décongeler au réfrigérateur; envelopper dans du papier d'aluminium et réchauffer 15 minutes à 180°C (350°F).

Préparation: très rapide.

Autres remarques: un repas sans viande délicieux et différent.

Pour personne seule: confectionner le pain en entier; déposer dans des moules à muffins graissés. Cuire selon la recette. Refroidir et congeler. Décongeler au réfrigérateur selon les besoins avant de le réchauffer au four 15 minutes à 180°C (350°F).

Poulet au paprika

Ustensiles

1 casserole couverte
   allant au four
1 grand poêlon téflonisé
1 bain-marie

Tasses et cuillères
   à mesurer
1 râpe
1 planche
1 petit couteau tranchant
1 passoire

Recette originale

4 demi-poitrines de poulet	*465*
Zeste d'un citron	*0*
1 oignon finement tranché	*40*
925 mL (3 3/4 t.) d'eau	*0*
Pincée de thym, de persil, de muscade	*0*
Sel et poivre	*0*
75 g (1/3 t.) de beurre ou de margarine	*535*
340 g (1 1/2 t.) de champignons frais tranchés	*75*
38 g (1/3 t.) de farine tout-usage	*129*
2 c. à soupe de paprika	*0*
625 mL (2 1/2 t.) de bouillon de poulet	*32*
165 mL (2/3 t.) de crème sure	*304*

1. Déposer les poitrines de poulet dans la casserole allant au four. Ajouter le zeste de citron et l'oignon haché. Recouvrir d'eau. Ajouter les assaisonnements.

2. Couvrir et cuire durant 1 1/4 heure. Égoutter.

3. Faire fondre le beurre ou la margarine et y dorer les champignons. Retirer les champignons et les ajouter au poulet.

4. Ajouter la farine et le paprika dans la casserole et mélanger avec le reste du beurre. Ajouter le bouillon de poulet graduellement en remuant constamment jusqu'à épaississement. Ajouter la crème sure. Chauffer légèrement. Verser sur le poulet et servir aussitôt.

Temps de préparation: 20 minutes
Temps de cuisson: 1 1/2 heure
Rendement: 4 portions

Recette modifiée

4 demi-poitrines de poulet	*465*
Zeste d'un citron	*0*
1 oignon finement tranché	*40*
925 mL (3 3/4 t.) d'eau	*0*
Pincée de thym, de persil, de muscade	*0*
Sel et poivre	*0*
2 c. à soupe de beurre ou de margarine	*200*
340 g (1 1/2 t.) de champignons frais tranchés	*75*
38 g (1/3 t.) de farine tout-usage	*129*
2 c. à soupe de paprika	*0*
625 mL (2 1/2 t.) de bouillon de poulet	*32*
165 mL (2/3 t.) de yogourt nature écrémé	*67*

1. Déposer les poitrines de poulet dans un plat allant au four. Ajouter le zeste de citron et l'oignon haché. Recouvrir d'eau. Ajouter les assaisonnements.
2. Couvrir et cuire durant 1 1/4 heure. Égoutter.
3. Faire fondre le beurre ou la margarine et y faire revenir les champignons. Retirer les champignons et les ajouter au poulet.
4. Ajouter la farine et le paprika dans la casserole et mélanger avec le reste du beurre. Ajouter le bouillon de poulet graduellement en remuant constamment jusqu'à épaississement. Ajouter le yogourt nature. Chauffer légèrement.
5. Verser sur le poulet et servir aussitôt.

Valeur nutritive comparée

Valeur nutritive par portion	Recette originale	Recette modifiée
Calories	395 calories	252 calories
Protéines	25,0 g	26,0 g
Lipides (gras)	24,0 g	8,5 g
Glucides (sucres)	12,5 g	14,0 g

Avantages de la recette modifiée

1 1/2 fois moins de calories.
Autant de protéines.
3 fois moins de gras.

Dans un repas complet (menu suggéré)

	Calories
Crudités: céleri, concombre, radis	14
1 portion de poulet au paprika, recette modifiée	252
114 g (1/2 t.) de nouilles cuites	80
114 g (1/2 t.) de haricots verts	15
125 mL (1/2 t.) d'ananas en morceaux	37
TOTAL	398

Variantes: remplacer le poulet par 454 g (1 lb) de boeuf en cubes ou coupé en lanières et utiliser du bouillon de boeuf au lieu du bouillon de poulet pour obtenir un boeuf au paprika (omettre le zeste de citron).

Présentation et service: servir sur des nouilles plates avec un légume vert et des quartiers de tomates.

Utilisation de la recette modifiée si vous suivez une diète

Réduite en sodium (sel) (hypertension, rétention d'eau, cardiaques)	Réduite en cholestérol et/ou gras (maladies du coeur, foie, athérosclérose)	Calculée pour diabétiques (équivalences)
À éviter	Margarine polyinsaturée au lieu du beurre	1 portion = 1 pain + 1/2 gras + 3 viande maigre

Conservation: environ deux jours au réfrigérateur. Se réchauffe bien. Se congèle bien.

Préparation: éviter de faire bouillir une fois que le yogourt est ajouté à la recette.

Pour personne seule: confectionner toute la recette et congeler en portions individuelles. Décongeler au réfrigérateur avant de réchauffer.

Courgettes farcies (zucchinis)

Ustensiles

1 grand poêlon	1 petit couteau tranchant
1 plat allant au four	1 fourchette et 1 cuillère
Tasses et cuillères	1 petit bol à mélanger
à mesurer	1 râpe
1 planche	

Recette originale

4 petites courgettes (zucchinis)	*108*
57 g (1/4 t.) de beurre ou de margarine	*400*
Sel et poivre	*0*
165 mL (2/3 t.) de bouillon de poulet	*8*
1 c. à soupe de ciboulette hachée	*1*
4 oeufs battus	*320*
85 mL (1/3 t.) de crème à 15 %	*139*
4 tomates moyennes	*135*
14 g (1/4 t.) de chapelure de pain	*86*
38 g (1/3 t.) de parmesan râpé	*147*

1. Couper les courgettes dans le sens de la longueur sans les peler et enlever les bouts.
2. Faire dorer les courgettes dans le beurre pendant 2 à 3 minutes. Assaisonner et ajouter le bouillon de poulet.
3. Couvrir et cuire 10 minutes à feu doux.
4. Mélanger les oeufs, la ciboulette et la crème et assaisonner. Faire cuire comme des oeufs légèrement brouillés.
5. Égoutter les courgettes et les placer dans un plat allant au four avec les tomates tranchées.
6. Garnir avec les oeufs, la chapelure et le fromage.
7. Passer sous le gril 2 à 3 minutes. Servir immédiatement.

Temps de préparation: 15 minutes
Temps de cuisson: 20 minutes
Rendement: 4 portions

Recette modifiée

---

4 petites courgettes (zucchinis)	*108*
1 c. à soupe de beurre ou de margarine	*100*
Sel et poivre	*0*
165 mL (2/3 t.) de bouillon de poulet	*8*
1 c. à soupe de ciboulette hachée	*1*
4 oeufs battus	*320*
85 mL (1/3 t.) de lait écrémé	*30*
4 tomates moyennes	*135*
2 c. à soupe de chapelure de pain de blé entier	*43*
30 g (1 oz) de fromage écrémé* râpé	*51*

---

1. Couper les courgettes dans le sens de la longueur, sans les peler et enlever les bouts.
2. Faire dorer les courgettes dans le beurre pendant 2 à 3 minutes. Assaisonner et ajouter le bouillon de poulet.
3. Couvrir et cuire 10 minutes à feu doux.
4. Mélanger les oeufs, la ciboulette et le lait et assaisonner. Faire cuire comme des oeufs légèrement brouillés.
5. Égoutter les courgettes et les placer dans un plat allant au four avec les tomates tranchées.
6. Garnir avec les oeufs, la chapelure et le fromage.
7. Passer sous le gril 2 à 3 minutes et servir immédiatement.

---

* *Fromage écrémé blanc de Beauce: Saint-Georges*

Valeur nutritive comparée

Valeur nutritive par portion	Recette originale	Recette modifiée
Calories	336 calories	199 calories
Protéines	14,0 g	13,0 g
Lipides (gras)	35,0 g	13,0 g
Glucides (sucres)	17,5 g	17,0 g

Avantages de la recette modifiée

1 1/2 fois moins de calories.
Presque 3 fois moins de gras.

Dans un repas complet (menu suggéré)

	Calories
1 portion de courgettes farcies, recette modifiée	199
1 petit pain de blé entier	100
227 g (1 t.) de salade d'épinards et tomates	14
1/2 c. à soupe de vinaigrette	30
1/2 cantaloup	60
TOTAL	403

Variante: on peut utiliser des poivrons verts au lieu des courgettes; on les fait bouillir 10 minutes au lieu de les faire revenir dans le beurre. Égoutter ensuite.

Variation saisonnière: les courgettes sont moins dispendieuses à l'automne.

Utilisation de la recette modifiée si vous suivez une diète

Réduite en sodium (sel) (hypertension, rétention d'eau, cardiaques)	Réduite en cholestérol et/ou gras (maladies du coeur, foie, athérosclérose)	Calculée pour diabétiques (équivalences)
Enlever le sel Omettre le bouillon de poulet et le remplacer par du lait	Avec modération Margarine polyinsaturée au lieu du beurre	1 portion = 1 pain + 1 gras + 1 1/2 viande

Conservation: préparer seulement la quantité nécessaire à vos besoins. Ne se congèle pas. Moins bon réchauffé.

Préparation: utiliser un fromage écrémé non coloré (blanc) de préférence.

Autres remarques: suggestion pratique pour remplacer la viande.

Pour personne seule: préparer une portion individuelle (le quart de la recette).

Pâté au saumon

Ustensiles

1 assiette à tarte
   de 22 cm (9 po)
1 casserole
1 cuillère en bois
Tasses et cuillères
   à mesurer

1 ouvre-boîte
1 passoire
1 fourchette et 1 cuillère
1 bol à mélanger
1 râpe

Recette originale

2 abaisses de pâte non cuite de 22 cm (9 po)............................	*1350*
1 bte de 415 g (15 1/2 oz) de saumon en conserve égoutté...........	*625*
1 oignon haché finement..	*40*
2 c. à soupe de beurre ou de margarine.................................	*200*
227 g (1 t.) de pommes de terre en purée	*185*
Pincée de thym..	*0*

1. Étendre une abaisse dans le fond et sur les bords d'une assiette à tarte de 22 cm (9 po).

2. Enlever la peau du saumon, puis écraser à la fourchette avec les pommes de terre en purée et le thym.

3. Faire revenir l'oignon haché dans le beurre ou la margarine et ajouter au mélange de saumon.

4. Déposer dans l'abaisse et recouvrir d'une autre abaisse de pâte. Faire une incision au centre pour laisser s'échapper la vapeur.

5. Cuire 10 minutes à 220°C (425°F); réduire la chaleur à 180°C (350°F) et continuer la cuisson durant 30 minutes.

Temps de préparation: 25 à 30 minutes
Temps de cuisson: 30 minutes
Rendement: 6 portions

Recette modifiée

1 abaisse de pâte non cuite de 22 cm (9 po)	*675*
1 bte de 235 g (7 3/4 oz) de saumon égoutté	*313*
227 g (1 t.) de riz brun cuit	*185*
2 c. à soupe de fromage Saint-Georges écrémé râpé	*26*
2 c. à café de beurre ou de margarine	*67*
2 c. à soupe de farine tout-usage	*49*
250 mL (1 t.) de lait écrémé	*90*
2 c. à soupe de fromage Saint-Georges écrémé râpé	*26*
1/4 c. à café de sel	*0*
Pincée de poivre	*0*

1. Étendre une abaisse de pâte dans le fond et sur les bords d'une assiette à tarte de 22 cm (9 po). Cuire 10 minutes à 220°C (425°F).

2. Mélanger le riz cuit et 2 c. à soupe de fromage râpé écrémé, puis déposer dans l'abaisse en pressant bien avec le dos d'une cuillère. Recouvrir avec le saumon émietté dont on aura enlevé la peau auparavant.

3. Faire fondre le beurre ou la margarine dans une casserole, ajouter la farine et bien mêler. Ajouter graduellement le lait en remuant constamment jusqu'à épaississement. Assaisonner.

4. Étendre la béchamel sur le saumon.

5. Saupoudrer de fromage écrémé râpé.

6. Cuire 30 minutes à 180°C (350°F).

7. Cuire au gril durant 5 minutes, pour que le fromage soit doré.

Valeur nutritive comparée

Valeur nutritive par portion	Recette originale	Recette modifiée
Calories	400 calories	237 calories
Protéines	18,0 g	12,0 g
Lipides (gras)	24,0 g	11,0 g
Glucides (sucres)	25,0 g	21,0 g

Avantages de la recette modifiée

Presque 2 fois moins de calories.
2 fois moins de gras.

Dans un repas complet (menu suggéré)

	Calories
125 mL (1/2 t.) de crème de tomate (au lait écrémé)	68
1 portion de pâté au saumon, recette modifiée	237
114 g (1/2 t.) de salade de chou cru	12
1/2 c. à soupe de vinaigrette	30
75 g (1/2 t.) de raisins	48
TOTAL	395

Variantes: on peut remplacer le saumon par du thon ou du maquereau pour diminuer le coût, et le riz brun par du riz blanc étuvé. On peut également faire ce pâté sans croûte en utilisant 2 fois plus de riz. On peut également faire une pâte à tarte avec de la farine de blé entier.

Présentation et service: peut se faire aussi dans un plat carré ou rectangulaire; pour le service, couper en carrés plutôt qu'en pointes. Décorer de persil frais ou séché.

Utilisation de la recette modifiée si vous suivez une diète

Réduite en sodium (sel) (hypertension, rétention d'eau, cardiaques)	Réduite en cholestérol et/ou gras (maladies du coeur, foie, athérosclérose)	Calculée pour diabétiques (équivalences)
À éviter	Margarine polyinsaturée pour la croûte et la préparation	1 portion = 1 1/2 pain + 1 gras + 1 viande

Conservation: deux à trois jours au réfrigérateur. Se congèle bien (avant ou après cuisson).

Préparation: le riz peut être cuit à l'avance et conservé au réfrigérateur.

Utilisation des restes: on peut le réchauffer à 350°F, 15 minutes, et il sera aussi bon.

Pour personne seule: préparer toute la recette, séparer le pâté en portions individuelles et congeler. Constitue des repas vite prêts.

SALADES
ET ASPICS

Salade au thon et au fromage

Ustensiles

1 bol à mélanger	1 passoire
1 planche	1 cuillère
1 petit couteau tranchant	Tasses et cuillères
1 ouvre-boîte	à mesurer

Recette originale

1 bte de 225 g (7 1/2 oz) de thon en conserve égoutté 425
120 g (4 oz) de fromage Cheddar transformé en dés 464
114 g (1/2 t.) de céleri en dés 8
57 g (1/4 t.) d'oignons hachés 10
125 mL (1/2 t.) de mayonnaise 880
1 c. à café de jus de citron 2
1/2 c. à café de sel 0

1. Bien mélanger tous les ingrédients ensemble. Réfrigérer.
2. Servir sur des feuilles de laitue avec persil et quartiers de citron.

Temps de préparation: 15 minutes
Rendement: 6 portions

Recette modifiée

1 bte de 225 g (7 1/2 oz) de thon en conserve	*425*
120 g (4 oz) de fromage écrémé* en dés	*204*
114 g (1/2 t.) de céleri en dés	*8*
57 g (1/4 t.) d'oignons hachés	*10*
125 mL (1/2 t.) de crème de céleri non diluée	*77*
1 c. à café de jus de citron	*2*
1/2 c. à café de sel	*0*

1. Bien mélanger tous les ingrédients ensemble. Réfrigérer.
2. Servir sur des feuilles de laitue avec persil et quartiers de citron.

---

* *Fromage écrémé jaune: Hi-Lo ou Ligth'n Lively. Fromage écrémé blanc: Saint-Georges (Beauce)*

Valeur nutritive comparée

Valeur nutritive par portion	Recette originale	Recette modifiée
Calories	298 calories	121 calories
Protéines	15,0 g	14,5 g
Lipides (gras)	24,5 g	5,0 g
Glucides (sucres)	1,0 g	4,5 g

Avantages de la recette modifiée

2 1/2 fois moins de calories.
5 fois moins de gras.

Dans un repas complet (menu suggéré)

	Calories
125 mL (1/2 t.) de soupe crème de tomate (au lait écrémé)	68
1 portion de salade au thon et au fromage, recette modifiée	121
1 tranche de pain de blé entier	72
2 grandes feuilles de laitue	10
1 poire fraîche ou en conserve, "rincée"	100
TOTAL	371

Variantes: le thon peut être remplacé par du saumon ou par 225 g (1 tasse) de poulet coupé en dés. On peut remplacer ou ajouter d'autres légumes hachés à la recette. La crème de céleri peut être remplacée par de la crème de champignons.

Présentation et service: on peut faire des demi-portions et servir cette salade comme entrée.

Utilisation de la recette modifiée si vous suivez une diète

Réduite en sodium (sel) (hypertension, rétention d'eau, cardiaques)	Réduite en cholestérol et/ou gras (maladies du coeur, foie, athérosclérose)	Calculée pour diabétiques (équivalences)
À éviter	Permis	1 portion = 1 1/2 viande maigre + 1 lait écrémé

Conservation: environ deux jours au réfrigérateur. Ne se congèle pas.

Préparation: on peut employer le fromage écrémé jaune ou blanc. Peut se préparer la veille.

Utilisation des restes: le reste de la crème de céleri peut être dilué avec du lait écrémé et servi comme soupe au repas suivant. On peut également s'en servir pour remplacer la mayonnaise dans les salades.

Autre remarque: bonne façon de diminuer sa consommation de viande.

Salade de macaroni et poulet

Ustensiles

1 grand bol à mélanger	1 chaudron moyen
1 cuillère en bois	Tasses à mesurer
1 planche	1 passoire
1 petit couteau tranchant	4 assiettes

Recette originale

454 g (2 t.) de macaroni en coudes, cuit *310*
340 g (1 1/2 t.) de poulet cuit, en cubes *307*
114 g (1 t.) de céleri haché *15*
1 poivron vert haché *15*
1 poivron rouge haché *20*
114 g (1/2 t.) d'oignon haché *20*
12 olives farcies tranchées *45*
Sel et poivre au goût *0*
175 mL (3/4 t.) de mayonnaise *1320*
4 grandes feuilles de laitue *20*

1. Disposer les feuilles de laitue dans les assiettes.
2. Mélanger ensemble tous les ingrédients et déposer le mélange sur les feuilles de laitue.
3. Servir très froid.

Temps de préparation: 20 à 30 minutes
Rendement: 4 portions de 227 g (1 tasse)

Recette modifiée

---

454 g (2 t.) de macaroni en coudes, cuit	*310*
227 g (1 t.) de poulet cuit, en cubes	*307*
114 g (1 t.) de céleri haché	*15*
1 poivron vert haché	*15*
1 poivron rouge haché	*20*
114 g (1/2 t.) d'oignon haché	*20*
Omettre les olives	*0*
Sel et poivre au goût	*0*
175 mL (3/4 t.) de crème de céleri non diluée	*116*
4 grandes feuilles de laitue	*20*

---

1. Disposer les feuilles de laitue dans les assiettes.
2. Mélanger ensemble tous les autres ingrédients et déposer le mélange sur les feuilles de laitue.
3. Servir très froid.

Valeur nutritive comparée

Valeur nutritive par portion	Recette originale	Recette modifiée
Calories	529 calories	206 calories
Protéines	19,0 g	20,0 g
Lipides (gras)	40,0 g	4,0 g
Glucides (sucres)	21,0 g	24,4 g

Avantages de la recette modifiée

2 1/2 fois moins de calories.

Autant de protéines.

10 fois moins de gras.

Dans un repas complet (menu suggéré)

	Calories
125 mL (1/2 t.) de jus de tomate	23
1 portion de salade de macaroni et poulet, recette modifiée	206
114 g (1/2 t.) de salade de carottes	23
1/2 c. à soupe de vinaigrette	30
114 g (1/2 t.) de fraises fraîches ou décongelées sans sucre	28
avec 60 mL (1/4 t.) de lait glacé	72
TOTAL	382

Variantes: on peut varier les légumes et les assaisonnements. Si le poivron rouge n'est pas disponible, utiliser 2 poivrons verts ou 1 poivron vert et 1 tomate hachée. On pourrait ajouter quelques morceaux d'ananas à la recette. Le poulet pourrait être remplacé par des morceaux de dinde. La crème de poulet, de champignons ou d'asperges remplacerait bien la crème de céleri.

Présentation et service: décorer les assiettes de tranches de tomates, de concombres, de bâtonnets de carottes ou de céleri, de persil frais. Se sert bien l'été, en pique-nique, lors d'un buffet froid ou dans une boîte à lunch.

Utilisation de la recette modifiée si vous suivez une diète

Réduite en sodium (sel) (hypertension, rétention d'eau, cardiaques)	Réduite en cholestérol et/ou gras (maladies du coeur, foie, athérosclérose)	Calculée pour diabétiques (équivalences)
À éviter	Recommandé	1 portion = 1 pain + 1 légume B + 1 1/2 viande

Conservation: deux à trois jours au réfrigérateur. Ne se congèle pas.

Préparation: le macaroni peut être cuit la veille et conservé au réfrigérateur. Cela diminue le temps de préparation. On pourrait aussi remplacer le macaroni par du riz cuit (brun ou blanc étuvé).

Utilisation des restes: excellente façon d'utiliser les restes de dinde ou de poulet.

Pain de dinde (froid)

Ustensiles

1 moule à pain
1 petite casserole
1 bol à mélanger
Tasses et cuillères
  à mesurer

1 planche
1 petit couteau tranchant
1 cuillère en bois
1 grande assiette de service
Hachoir ou moulinette
1 ouvre-boîte

Recette originale

300 g (environ 3/4 lb) de dinde froide hachée	*600*
120 g (environ 1/4 lb) de jambon cuit haché	*246*
1 oignon moyen haché	*40*
2 c. à soupe de beurre ou de margarine	*200*
2 poivrons verts hachés	*30*
250 mL (1 t.) de sauce béchamel	*430*
1 enveloppe de gélatine sans saveur	*35*
60 mL (1/4 t.) d'eau	*0*
Sel et poivre	*0*

---

1. Faire revenir les oignons dans le beurre.
2. Faire gonfler la gélatine dans l'eau froide dans une petite casserole et dissoudre à feu doux.
3. Mélanger tous les ingrédients ensemble et verser dans un moule à pain.
4. Réfrigérer 3 à 4 heures.
5. Démouler sur des feuilles de laitue et garnir de persil.

Temps de préparation: 20 minutes
Rendement: 6 portions

Recette modifiée

---

454 g (environ 1 lb) de dinde froide hachée 800
Omettre le jambon ....
1 oignon moyen 40
Omettre le beurre ou la margarine ....
2 poivrons verts hachés 30
250 mL (1 t.) de crème de céleri non diluée 154
1 enveloppe de gélatine sans saveur 35
60 mL (1/4 t.) d'eau 0
Sel et poivre 0

---

1. Faire gonfler la gélatine dans l'eau froide dans une petite casserole et dissoudre à feu doux.
2. Mélanger tous les ingrédients ensemble et verser dans un moule à pain.
3. Réfrigérer 3 à 4 heures.
4. Démouler sur des feuilles de laitue et garnir de persil.

Valeur nutritive comparée

Valeur nutritive par portion	Recette originale	Recette modifiée
Calories	263 calories	176 calories
Protéines	24,5 g	24,0 g
Lipides (gras)	15,0 g	6,0 g
Glucides (sucres)	6,5 g	6,0 g

Avantages de la recette modifiée

1 1/2 fois moins de calories.
2 1/2 fois moins de gras.

Dans un repas complet (menu suggéré)

	Calories
1 portion de pain de dinde, recette modifiée	176
1 petit pain de blé entier	100
170 g (3/4 t.) de salade verte	11
1/2 c. à soupe de vinaigrette	30
1/4 de cantaloup recouvert de	30
1/4 tasse de yogourt glacé	72
TOTAL	419

Variantes: le poulet peut remplacer la dinde. On peut ajouter d'autres légumes hachés: champignons, céleri... La crème de poulet ou de champignons peut remplacer la crème de céleri.

Présentation et service: on peut faire de petits pains de dinde individuels en versant la préparation dans des moules à muffins. Délicieux en sandwich pour les pique-nique et la boîte à lunch.

Utilisation de la recette modifiée si vous suivez une diète

Réduite en sodium (sel) (hypertension, rétention d'eau, cardiaques)	Réduite en cholestérol et/ou gras (maladies du coeur, foie, athérosclérose)	Calculée pour diabétiques (équivalences)
À éviter	Recommandé	1 portion = 3 viande maigre + 1 légume B

Conservation: deux à trois jours au réfrigérateur. Ne se congèle pas.

Préparation: rapide et facile à préparer. Peut se préparer la veille.

Utilisation des restes: bonne façon d'utiliser les restes de dinde.

Pour personne seule: le tiers de la recette donne 2 portions.

Quantités:

150 g (1/3 lb) de dinde froide hachée
1 c. à soupe d'oignon haché
75 g (1/3 t.) de poivron vert haché
85 mL (1/3 t.) de crème de céleri non diluée
1 c. à café de gélatine neutre
4 c. à café d'eau

Saumon en gelée

Ustensiles

1 ouvre-boîte	1 planche
1 petit bol	1 petit couteau tranchant
1 bol à mélanger	1 cuillère
Tasses et cuillères	1 assiette de service
à mesurer	

Recette originale

2 c. à café de gélatine sans saveur	24
60 mL (1/4 t.) d'eau froide	0
250 mL (1 t.) d'eau bouillante	0
1/4 d'un concombre tranché	8
2 oeufs durs tranchés	160
1 bte de 465 g (15 1/2 oz) de saumon	625
57 g (1 t.) de fromage à la crème	840
3 c. à soupe de mayonnaise	330
Sel et poivre	0
Olives hachées	30

---

1. Faire gonfler la gélatine dans l'eau froide pendant 5 minutes. Dissoudre dans l'eau bouillante et laisser refroidir.

2. Verser une couche de 1/2 cm (1/4 po) de gélatine dans un bol et laisser prendre.

3. Lorsque la gélatine est prise, disposer les tranches de concombre et d'oeufs durs sur la gélatine. Verser une autre couche de 1/2 cm (1/4 po) de gélatine et laisser prendre.

4. Mélanger le reste de gélatine avec les autres ingrédients. Verser dans le bol et réfrigérer.

5. Démouler dans une assiette de service sur des feuilles de laitue.

6. Décorer de quartiers de citron.

Temps de préparation: 10 minutes
Rendement: 6 portions

Recette modifiée

---

2 c. à café de gélatine sans saveur	*24*
60 mL (1/4 t.) d'eau froide	*0*
250 mL (1 t.) d'eau bouillante	*0*
1/4 d'un concombre tranché	*8*
2 oeufs durs tranchés	*160*
1 bte de 465 g (15 1/2 oz) de saumon	*625*
57 g (1 t.) de fromage cottage	*240*
3 c. à soupe de yogourt nature écrémé	*20*
Sel et poivre	*0*
57 g (1/4 t.) de céleri haché	*4*

---

1. Faire gonfler la gélatine dans l'eau froide pendant 5 minutes. Dissoudre dans l'eau bouillante et laisser refroidir.

2. Verser une couche de 1/2 cm (1/4 po) de gélatine dans un bol et laisser prendre.

3. Lorsque la gélatine est prise, disposer les tranches de concombre et d'oeufs durs sur la gélatine. Verser une autre couche de 1/2 cm (1/4 po) de gélatine et laisser prendre.

4. Mélanger le reste de la gélatine avec les autres ingrédients. Verser dans le bol et réfrigérer.

5. Démouler dans une assiette de service sur des feuilles de laitue.

6. Décorer de quartiers de citron.

Valeur nutritive comparée

Valeur nutritive par portion	Recette originale	Recette modifiée
Calories	353 calories	180 calories
Protéines	20,0 g	23,0 g
Lipides (gras)	28,0 g	8,0 g
Glucides (sucres)	2,0 g	2,0 g

Avantage de la recette modifiée

2 fois moins de calories.
Un peu plus de protéines.
3 1/2 fois moins de gras.

Dans un repas complet (menu suggéré)

	Calories
125 mL (1/2 t.) de jus de légumes	22
1 portion de saumon en gelée, recette modifiée	180
1 grande feuille de laitue et 1/2 tomate tranchée	23
1 petit pain de blé entier	100
1 petite tranche de melon d'eau	60
TOTAL	385

Variantes: remplacer le saumon par du thon, du poulet ou des crevettes. Remplacer le concombre par des courgettes tranchées. Remplacer le céleri par du poivron vert. On peut ajouter d'autres légumes à la recette.

Présentation et service: on peut confectionner des aspics individuels. On peut aussi verser la préparation dans un moule carré et couper en carrés lorsque la gelée est prise. Un moule en couronne peut être utilisé pour varier la présentation. Idéal pour les repas d'été et les buffets froids.

Utilisation de la recette modifiée si vous suivez une diète

Réduite en sodium (sel) (hypertension, rétention d'eau, cardiaques)	Réduite en cholestérol et/ou gras (maladies du coeur, foie, athérosclérose)	Calculée pour diabétiques (équivalences)
Utiliser du poulet au lieu de saumon Omettre le sel	Ne pas ajouter les oeufs	1 portion = 3 viande maigre + 1/2 gras

Note: les personnes qui ont de la difficulté à digérer le concombre peuvent le remplacer par des courgettes (zucchinis) tranchées.

Conservation: deux à trois jours au réfrigérateur. Ne se congèle pas.

Préparation: peut se préparer la veille.

Utilisation des restes: les restes de poulet s'utilisent bien dans cette recette.

Pour personne seule: étant donné qu'il est difficile de diviser cette recette et que le mets ne se congèle pas, il est préférable d'inviter des amis.

Pâté de foie

Ustensiles

1 hache-viande	Tasses à mesurer
1 plat allant au four	1 planche
1 grande casserole	1 petit couteau tranchant
allant au four	2 petits bols
1 bol à mélanger	1 fourchette
	1 cuillère

Recette originale

454 g (1 lb) de foie de porc	*635*
227 g (1 t.) de mie de pain	*164*
85 mL (1/3 t.) de lait entier	*53*
3 oeufs battus	*240*
120 g (4 oz) de bacon haché	*412*
1 oignon haché très fin	*40*
1 c. à soupe de beurre	*100*
125 mL (1/2 t.) de crème à 35 %	*345*
Sel et poivre	*0*

1. Couper le bacon et le foie en petits morceaux. Ajouter le pain trempé dans 85 mL (1/3 t.) de lait, l'oignon haché revenu dans le beurre.

2. Assaisonner.

3. Passer le tout 2 à 3 fois au hache-viande.

4. Incorporer les oeufs battus et la crème.

5. Verser la préparation dans un moule beurré.

6. Faire pocher au four durant 1 heure à 180°C (350°F).

7. Réfrigérer pour laisser prendre.

8. Démouler et garnir de quartiers de tomates et de persil.

Temps de préparation: 15 minutes
Temps de cuisson: 1 heure
Rendement: 50 portions de 1 c. à soupe

Recette modifiée

---

570 g (1 1/4 lb) de foie de porc	*794*
227 g (1 t.) de mie de pain de blé entier	*14*
35 mL (1/3 t.) de lait écrémé	*30*
3 oeufs battus	*240*
Omettre le bacon	*0*
1 oignon haché très fin	*40*
Omettre le beurre	*0*
125 mL (1/2 t.) de lait écrémé	*45*
Sel et poivre	*0*

---

1. Couper le foie en petits cubes, ajouter l'oignon haché et le pain trempé dans 85 mL (1/3 t.) de lait écrémé. Assaisonner.

2. Passer le tout 2 à 3 fois au hache-viande.

3. Incorporer les oeufs battus et 125 mL (1/2 t.) de lait écrémé.

4. Verser la préparation dans un moule beurré.

5. Faire pocher au four durant 1 heure à 180°C (350°F).

6. Réfrigérer pour laisser prendre.

7. Démouler et garnir de quartiers de tomates et de persil.

Valeur nutritive comparée

Valeur calorique par portion	Recette originale	Recette modifiée
Calories	40 calories	26 calories
Protéines	2,6 g	3,0 g
Lipides (gras)	2,8 g	1,0 g
Glucides (sucres)	1,5 g	1,5 g

Avantages de la recette modifiée

1 1/2 fois moins de calories.
Un peu plus de protéines.
3 fois moins de gras.

Pour un petit déjeuner complet (menu suggéré)

	Calories
125 mL (1/2 t.) de jus de raisin non sucré	67
2 tranches de pain de seigle	146
2 c. à soupe de pâté de foie, recette modifiée	52
185 mL (3/4 t.) de café au lait (écrémé sans sucre)	45
TOTAL	310

Variante: le foie de porc peut être remplacé par une autre sorte de foie (poulet, veau, agneau, lapin).

Ingrédients facultatifs ou substituts: on peut ajouter des épices et des fines herbes au goût. On peut également ajouter une gousse d'ail et remplacer l'oignon par des échalottes.

Présentation et service: peut se servir en sandwich ou sur des craquelins. On peut également farcir des bâtonnets de céleri de ce pâté, ou en garnir du pain grillé au petit déjeuner.

Utilisation de la recette modifiée si vous suivez une diète

Réduite en sodium (sel) (hypertension, rétention d'eau, cardiaques)	Réduite en cholestérol et/ou gras (maladies du coeur, foie, athérosclérose)	Calculée pour diabétiques (équivalences)
Omettre le sel	À éviter	1 portion = 1/2 viande

Conservation: le foie est un aliment très périssable: il suffit de préparer de plus petites quantités et de les conserver environ 2 jours au réfrigérateur.

Préparation: peut se préparer la veille.

Utilisation des restes: ne pas congeler car le pâté pourrait avoir une consistance granuleuse après la décongélation.

Autres remarques: contient environ 2 mg de fer par cuillerée à soupe.

Pour personne seule: à faire seulement lorsque vous attendez des invités.

Mousse au poulet

Ustensiles

1 moule pour aspic	1 ouvre-boîte
Tasses et cuillères	1 planche
à mesurer	1 petit couteau tranchant
1 bol à mélanger	

Recette originale

454 g (2 t.) de poulet cuit haché fin	*230*
2 c. à soupe de gélatine neutre	*70*
250 mL (1 t.) de crème à fouetter	*691*
250 mL (1 t.) de bouillon de poulet chaud	*13*
4 c. à soupe d'eau froide	*0*
1/2 c. à café de sel	*0*
1/4 c. à café de paprika	*0*

1. Faire gonfler la gélatine dans l'eau froide 5 minutes et la faire dissoudre dans le bouillon de poulet chaud.

2. Ajouter le poulet haché. Refroidir sans laisser prendre complètement.

3. Fouetter la crème, l'incorporer à la première préparation. Assaisonner au goût.

4. Verser le mélange dans un moule rincé à l'eau froide.

5. Laisser prendre au froid.

6. Démouler et décorer au goût.

Temps de préparation: 30 minutes
Rendement: 4 portions

Recette modifiée

---

454 g (2 t.) de poulet cuit haché fin	*230*
2 c. à soupe de gélatine neutre	*70*
250 mL (1 t.) de crème de poulet condensée	*350*
250 mL (1 t.) de bouillon de poulet chaud	*13*
4 c. à soupe d'eau froide	*0*
Omettre le sel	*0*
1/4 c. à café de paprika	*0*

---

1. Faire gonfler la gélatine dans l'eau froide 5 minutes et la faire dissoudre dans le bouillon de poulet chaud.

2. Ajouter le poulet haché. Refroidir sans laisser prendre complètement.

3. Incorporez la crème de poulet et le paprika à la première préparation.

4. Verser le mélange dans un moule rincé à l'eau froide.

5. Laisser prendre au froid.

6. Démouler et décorer au goût.

Valeur nutritive comparée

Valeur nutritive par portion	Recette originale	Recette modifiée
Calories	251 calories	166 calories
Protéines	16,0 g	18,5 g
Lipides (gras)	20,0 g	4,5 g
Glucides (sucres)	2,0 g	7,0 g

Avantages de la recette modifiée

1 1/2 fois moins de calories.
Un peu plus de protéines.
4 1/2 fois moins de gras.

Dans un repas complet (menu suggéré)

	Calories
2 grandes feuilles de laitue	10
1 portion de mousse au poulet, recette modifiée	166
114 g (1/2 t.) de salade de pommes de terre	80
2 c. à café de sauce à salade	44
114 g (1/2 t.) de sections d'oranges ou de mandarines	75
TOTAL	375

Variantes: on peut remplacer le poulet par du veau cuit. On pourrait également employer du saumon, du thon ou des crevettes pour varier. On peut aussi ajouter des légumes hachés. La crème de poulet peut être remplacée par la crème de céleri, d'asperges ou de champignons.

Présentation et service: on peut verser le mélange dans de petits moules individuels décoratifs, démouler sur une grande feuille de laitue et accompagner de crudités.

Variations saisonnières: utiliser les légumes de saison pour garnir.

Utilisation de la recette modifiée si vous suivez une diète

Réduite en sodium (sel) (hypertension, rétention d'eau, cardiaques)	Réduite en cholestérol et/ou gras (maladies du coeur, foie, athérosclérose)	Calculée pour diabétiques (équivalences)
À éviter	Recommandé	1 portion = 2 viande maigre + 1/2 pain

Conservation: deux à trois jours au réfrigérateur. Ne se congèle pas à cause de la gélatine.

Préparation: si la gélatine est trop prise au moment d'ajouter le poulet, faire dissoudre à feu doux ou au-dessus de l'eau chaude et laisser prendre partiellement. Peut se préparer la veille.

Utilisation des restes: cette recette est une excellente façon d'utiliser les restes de poulet ou d'autres viandes.

Autres remarques: convient surtout l'été où l'on préfère des mets froids et plus légers.

Pour personne seule: préparer une demi-recette pour obtenir 2 portions. Utiliser le reste de la crème de poulet condensée comme soupe en diluant avec la même quantité de lait écrémé.

PRODUITS
DE
BOULANGERIE

Renversé à l'ananas

Ustensiles

1 moule carré de 22 cm (9 po)	1 ouvre-boîte
Tasses et cuillères à mesurer	1 passoire
	1 fourchette
2 bols à mélanger moyens	1 mixette électrique
1 cuillère en bois	1 spatule en caoutchouc

Recette originale

2 c. à soupe de beurre fondu 200

2 c. à soupe de cassonade 110

9 tranches d'ananas en conserve, égouttés 120

9 cerises au marasquin 77

Gâteau:

227 g (2 t.) de farine tout-usage 772

1 1/2 c. à café de poudre à pâte 0

114 g (1/2 t.) de beurre ou de margarine 800

170 g (3/4 t.) de sucre 578

1 c. à café de vanille.. 0

2 oeufs.. 160

1/2 c. à café de sel... 0

2 c. à soupe de lait... 20

1. Faire fondre 2 c. à soupe de beurre. Verser dans le moule.

2. Disposer les ananas et les cerises au centre des tranches et saupoudrer de cassonade.

3. Tamiser farine, poudre à pâte et sel.

4. Défaire le beurre en crème. Ajouter le sucre, la vanille et un oeuf en battant.

5. Mélanger l'autre oeuf avec le lait et ajouter au mélange en alternant avec la farine.

6. Étendre la pâte sur les fruits.

7. Cuire 35 à 45 minutes à 180°C (350°F).

Temps de préparation: 15 minutes
Temps de cuisson: 20 minutes
Rendement: 9 portions

Recette modifiée

Omettre le beurre ....

Omettre le sucre ....

9 tranches d'ananas en conserve, égouttés *120*

9 fraises fraîches ou décongelées *27*

Gâteau:

227 g (2 t.) de farine de blé entier *800*

3 c. à café de poudre à pâte *0*

57 g (1/4 t.) de beurre ou de margarine fondue *400*

57 g (1/4 t.) de sucre *180*

1 c. à café de vanille *0*

1 oeuf battu *80*

1/2 c. à café de sel *0*

250 mL (1 t.) de lait écrémé *90*

---

1. Disposer les tranches d'ananas et les fraises au centre des tranches dans un moule carré de 22 cm (9 po).
2. Mélanger tous les ingrédients secs ensemble.
3. Mélanger ensemble l'oeuf, le lait et le beurre ou la margarine fondue.
4. Ajouter les liquides en une seule fois aux ingrédients secs, en brassant très peu, juste pour humecter les ingrédients secs.
6. Cuire 20 minutes à 200°C (400°F).
7. Servir tiède.

Valeur nutritive comparée

Valeur nutritive par portion	Recette originale	Recette modifiée
Calories	315 calories	188 calories
Protéines	4,5 g	5,0 g
Lipides (gras)	14,5 g	6,0 g
Glucides (sucres)	41,0 g	26,0 g

Avantages de la recette modifiée

1 1/2 fois moins de calories.
Un peu plus de protéines.
2 1/2 fois moins de gras.
1 1/2 fois moins de sucre.

Dans un repas complet (menu suggéré)

	Calories
125 mL (1/2 t.) de jus de tomate	23
170 g (3/4 t.) de salade de poulet (laitue-céleri-oignons et 90 g (3 oz) de poulet en cubes)	115
1/2 tomate tranchée	17
1/2 c. à soupe de sauce à salade	32
1 portion de renversé à l'ananas, recette modifiée	188
TOTAL	375

Variantes: remplacer les ananas par d'autres fruits : pêches, abricots, salade de fruits, fraises, framboises... On peut également utiliser la farine tout-usage.

Facultatif: cerises.

Présentation et service: démouler le dessert à l'envers sur une assiette de service de façon que l'on voit bien les fruits. Ce dessert est meilleur chaud ou tiède.

Variations saisonnières: utiliser les fruits de saison. Hors saison, on peut employer des fruits en conserve ou congelés à condition de les choisir non sucrés et de bien les égoutter.

Utilisation de la recette modifiée si vous suivez une diète

Réduite en sodium (sel) (hypertension, rétention d'eau, cardiaques)	Réduite en cholestérol et/ou gras (maladies du coeur, foie, athérosclérose)	Calculée pour diabétiques (équivalences)
À éviter	Utiliser une margarine polyinsaturée	1 portion = 2 pain + 1 gras

Conservation: meilleur frais. Se réchauffe bien. Ne pas congeler.

Préparation: étant donné qu'il s'agit d'une pâte à muffins, la pâte a tendance à être plus compacte en refroidissant. Si vous avez des restes, il est préférable de les faire réchauffer avant de les servir.

Autres remarques: beaucoup moins sucré et beaucoup moins gras que le traditionnel gâteau renversé à l'ananas.

Pour personne seule: à faire lorsque vous avez des invités.

Muffins au fromage

Ustensiles

12 moules à muffins
2 bols à mélanger
1 cuillère en bois

1 râpe
1 fourchette
Tasses et cuillères
à mesurer

Recette originale

227 g (2 t.) de farine tout-usage	*772*
57 g (1/4 t.) de sucre	*180*
1 c. à soupe de poudre à pâte	*0*
3/4 c. à café de sel	*0*
120 g (4 oz) de fromage Cheddar râpé	*464*
1 oeuf battu	*80*
250 mL (1 t.) de lait entier	*160*
60 mL (1/4 t.) d'huile de maïs	*1000*

1. Mélanger tous les ingrédients secs ensemble.
2. Ajouter le fromage râpé et bien mêler.
3. Mélanger ensemble l'oeuf, le lait et l'huile et ajouter en une seule fois aux ingrédients secs en brassant très peu, juste pour les humecter.
4. Déposer dans des moules à muffins graissés.
5. Cuire 20 minutes à 200°C (400°F).
6. Servir chauds ou tièdes.

Temps de préparation: 15 minutes
Temps de cuisson: 20 minutes
Rendement: 12 muffins

Recette modifiée

---

227 g (2 t.) de farine de blé entier	*800*
1 c. à soupe de sucre	*45*
1 c. à soupe de poudre à pâte	*0*
3/4 c. à café de sel	*0*
120 g (4 oz) de fromage écrémé* râpé	*204*
1 oeuf battu	*80*
250 mL (1 t.) de lait écrémé	*90*
2 c. à soupe d'huile de maïs	*500*

---

1. Mélanger tous les ingrédients secs ensemble.
2. Ajouter le fromage râpé et bien mêler.
3. Mélanger ensemble l'oeuf, le lait et l'huile, ajouter en une seule fois aux ingrédients secs en brassant très peu, juste pour les humecter.
4. Déposer dans des moules à muffins graissés.
5. Cuire 20 minutes à 200°C (400°F).
6. Servir chauds ou tièdes.

---

* *Fromage blanc écrémé de Beauce: St-Georges*

Valeur nutritive comparée

Valeur nutritive par portion	Recette originale	Recette modifiée
Calories	221 calories	143 calories
Protéines	6,0 g	5,5 g
Lipides (gras)	9,0 g	4,0 g
Glucides (sucres)	18,0 g	16,0 g

Avantages de la recette modifiée

1 1/2 fois moins de calories.
2 fois moins de gras.

Dans un petit déjeuner complet (menu suggéré)

	Calories
125 mL (1/2 t.) de jus d'orange non sucré	55
2 muffins au fromage, recette modifiée	286
Café sans sucre et 2 c. à soupe de lait écrémé	11
TOTAL	352

Variantes: on peut remplacer l'huile par une margarine polyinsaturée fondue. On peut utiliser aussi la farine tout-usage.

Ingrédient facultatif: sucre.

Présentation et service: excellente façon de varier le petit déjeuner.

Utilisation de la recette modifiée si vous suivez une diète

Réduite en sodium (sel) (hypertension, rétention d'eau, cardiaques)	Réduite en cholestérol et/ou gras (maladies du coeur, foie, athérosclérose)	Calculée pour diabétiques (équivalences)
À éviter	Recommandé	1 portion = 1 pain + 1/2 gras + 1/2 viande

Conservation: trois à quatre jours au réfrigérateur. Se congèle bien (réchauffer avant de servir).

Préparation: plus on brasse le mélange de pâte, plus les muffins seront durs et compacts. Brasser donc le moins possible. Il est important que le four soit déjà chaud au moment d'y déposer les muffins. Utiliser de préférence un fromage écrémé non coloré (blanc).

Pour personne seule: préparer toute la recette et congeler les muffins. Décongeler selon vos besoins et réchauffer au four 15 minutes à 180°C (350°F), après avoir enveloppé les muffins dans un papier d'aluminium pour les empêcher de sécher.

Biscuits à la farine d'avoine

Ustensiles

2 bols à mélanger
(1 grand et 1 petit)
Tasses et cuillères
  à mesurer

1 cuillère en bois
1 plaque à biscuits
1 cuillère à dessert
1 spatule en caoutchouc

Recette originale

---

97 g (1/2 t.) de graisse végétale *885*
2 oeufs *160*
3/4 c. à café de sel *0*
80 g (1 t.) de cassonade *820*
1 c. à café de vanille *0*
116 g (1 t.) de farine de blé entier *400*
342 g (3 t.) de farine d'avoine (gruau) *936*
3/4 c. à café de bicarbonate de soude *0*
114 g (1/2 t.) de noix hachées *395*

---

1. Défaire la graisse végétale en crème.

2. Ajouter les oeufs, la cassonade et la vanille.

3. Mélanger la farine, le sel et le bicarbonate de soude et ajouter au premier mélange.

4. Ajouter le gruau et les noix; bien mêler.

5. Déposer par cuillerées sur une plaque à biscuits graissée.

6. Cuire 10 à 15 minutes à 180°C (350°F).

Temps de préparation: 15 minutes
Temps de cuisson: 10 à 15 minutes
Rendement: 36 biscuits

Recette modifiée

---

85 mL (1/3 t.) d'huile de maïs ou de tournesol	*667*
2 oeufs	*160*
3/4 c. à café de sel	*0*
80 g (1/2 t.) de cassonade	*410*
1 c. à café de vanille	*0*
116 g (1 t.) de farine de blé entier	*400*
342 (3 t.) de farine d'avoine (gruau)	*936*
3/4 c. à café de bicarbonate de soude	*0*
114 g (1/2 t.) de germe de blé	*124*

---

1. Mélanger l'huile, les oeufs, la cassonade et la vanille.
2. Mélanger la farine, le sel et le bicarbonate de soude et ajouter au premier mélange.
3. Ajouter le gruau et le germe de blé; bien mêler.
4. Déposer par cuillerées sur une plaque à biscuits graissée.
5. Cuire 10 à 15 minutes à 180°C (350°F).

Valeur nutritive comparée

Valeur nutritive par portion	Recette originale	Recette modifiée
Calories	100 calories	75 calories
Protéines	2,0 g	2,0 g
Lipides (gras)	5,0 g	3,0 g
Glucides (sucres)	13,0 g	10,5 g

Avantages de la recette modifiée

25 calories de moins par biscuit.
Autant de protéines.
Presque 2 fois moins de gras.
Un peu moins de sucre.

Dans un repas complet (menu suggéré)

	Calories
114 g (1/2 t.) d'aspic aux tomates	32
227 g (1 t.) de bouilli de boeuf et légumes	210
114 g (1/2 t.) de betteraves	25
1 biscuit à la farine d'avoine, recette modifiée	75
125 mL (1/2 t.) de lait écrémé	45
TOTAL	387

Variantes: une margarine polyinsaturée remplacerait l'huile végétale. On pourrait utiliser de la farine blanche, mais la valeur nutritive de la farine de blé entier est supérieure. On peut utiliser 1/2 c. à café d'essence d'érable au lieu de l'essence de vanille.

Ingrédients facultatifs et substituts: le germe de blé est un ingrédient facultatif; mais il pourrait être remplacé par du son de blé pour augmenter la teneur en fibres.

Présentation et service: on peut aplatir les biscuits à la fourchette avant la cuisson pour leur imprimer des rayures. On peut également les décorer d'une noix de Grenoble, d'un morceau de datte ou de raisins secs avant la cuisson.

Utilisation de la recette modifiée si vous suivez une diète

Réduite en sodium (sel) (hypertension, rétention d'eau, cardiaques)	Réduite en cholestérol et/ou gras (maladies du coeur, foie, athérosclérose)	Calculée pour diabétiques (équivalences)
À éviter	Recommandé	1 portion = 1/2 pain + 1 gras

Conservation: dans un endroit frais et sec; réfrigérer de préférence si l'on en consomme peu à la fois. Meilleur frais, car après décongélation, le biscuit est plus mou.

Pour personne seule: faire le tiers de la recette pour obtenir une douzaine de biscuits.

Quantités pour le tiers de la recette

1 c. à soupe d'huile de maïs
3 c. à soupe de cassonade
1/4 c. à café de vanille
116 g (1 t.) de farine d'avoine
1 c. à café de bicarbonate de soude
2 c. à soupe de germe de blé
1 oeuf
1/4 c. à café de sel
38 g (1/3 t.) de farine de blé entier

Muffins au germe de blé

Ustensiles

2 bols à mélanger
    (1 moyen et 1 petit)
Tasses et cuillères
    à mesurer
1 cuillère en bois

1 spatule en caoutchouc
16 moules à muffins moyens
1 fourchette
1 cuillère de table
1 pinceau à pâtisserie

Recette originale

114 g (1 t.) de farine tout-usage	*386*
116 g (1 t.) de farine de blé entier	*400*
4 c. à café de poudre à lever	*0*
81 g (1/2 t.) de cassonade	*410*
114 g (1/2 t.) de germe de blé	*124*
1 oeuf battu	*80*
300 mL (1 1/4 t.) de lait entier	*200*
60 mL (1/4 t.) d'huile de maïs	*500*

1. Mélanger tous les ingrédients secs ensemble.

2. Mélanger ensemble l'oeuf, le lait et l'huile et ajouter en une seule fois aux ingrédients secs.

3. Brasser *très peu*, juste pour humecter les ingrédients secs.

4. Déposer dans les 16 moules à muffins graissés.

5. Cuire 20 minutes à 200°C (400°F).

6. Servir chauds ou tièdes.

Temps de préparation: 10 à 15 minutes
Temps de cuisson: 20 minutes
Rendement: 16 muffins moyens

Recette modifiée

---

114 g (1 t.) de farine tout-usage *386*
116 g (1 t.) de farine de blé entier *400*
4 c. à café de poudre à lever *0*
81 g (1/4 t.) de cassonade *205*
114 g (1/2 t.) de germe de blé *124*
1 oeuf battu *80*
300 mL (1 1/4 t.) de lait écrémé *120*
2 c. à soupe d'huile de maïs *250*

---

1. Mélanger tous les ingrédients secs ensemble.
2. Mélanger ensemble l'oeuf, le lait et l'huile et ajouter en une seule fois aux ingrédients secs.
3. Brasser *très peu*, juste pour humecter les ingrédients secs.
4. Déposer dans les 16 moules à muffins graissés.
5. Cuire 20 minutes à 200°C (400°F).
6. Servir chauds ou tièdes.

Valeur nutritive comparée

Valeur nutritive par portion	Recette originale	Recette modifiée
Calories	131 calories	98 calories
Protéines	3,5 g	3,5 g
Lipides (gras)	5,0 g	3,0 g
Glucides (sucres)	19,0 g	15,0 g

Avantages de la recette modifiée

1 1/2 fois moins de calories.
Autant de protéines.
2 fois moins de gras.
Un peu moins de sucre.

Dans un petit déjeuner complet (menu suggéré)

	Calories
Déjeuner	
1/2 pamplemousse sans sucre	55
150 g (2/3 t.) de flocons de céréales à grains entiers	104
125 mL (1/2 t.) de lait écrémé	45
1 muffin au germe de blé	98
1 c. à café de beurre ou de margarine	35
Café sans sucre avec 2 c. à soupe de lait écrémé	11
TOTAL	348

Variante: on pourrait utiliser 230 g (2 t.) de farine de blé entier plutôt que 114 g (1 t.) de farine blanche et 116 g (1 t.) de farine de blé entier; la teneur en fibres serait plus élevée.

Ingrédients facultatifs ou substituts: on pourrait ajouter 38 g (1/4 tasse) de raisins secs ou de dattes hachées à la préparation. L'huile peut être remplacée par une margarine polyinsaturée fondue.

Présentation et service: se sert bien comme petit déjeuner ou comme dessert. Ces muffins sont meilleurs chauds ou tièdes.

Utilisation de la recette modifiée si vous suivez une diète

Réduite en sodium (sel) (hypertension, rétention d'eau, cardiaques)	Réduite en cholestérol et/ou gras (maladies du coeur, foie, athérosclérose)	Calculée pour diabétiques (équivalences)
À éviter	Recommandé	1 portion = 1 pain + 1/2 gras

Conservation: quatre à cinq jours au réfrigérateur. Se congèlent bien: réchauffer 10 à 15 minutes à 180°C (350°F), enveloppés dans un papier d'aluminium.

Préparation: si l'on brasse trop la préparation, les muffins seront plus durs. Il est important que le four ait atteint 200°C (400°F) avant d'y mettre les muffins.

Autre remarque: les muffins contiennent beaucoup moins de gras et de sucre que les gâteaux; et ils les remplacent avantageusement.

Pour personne seule: préparer toute la recette et congeler les muffins. Décongeler selon les besoins et réchauffer au four.

Pain à l'orange

Ustensiles

1 moule à pain	Tasses et cuillères
2 bols à mélanger	à mesurer
(1 moyen et 1 petit)	1 fourchette
1 cuillère en bois	1 cuillère
	1 râpe
	1 spatule en caoutchouc

Recette originale

227 g (2 t.) de farine tout-usage	*772*
81 g (1/2 t.) de cassonade	*410*
1/2 c. à café de sel	*0*
1/2 c. à café de bicarbonate de soude	*0*
2 c. à café de poudre à lever	*0*
1 oeuf battu	*80*
125 mL (1/2 t.) de lait entier	*80*
2 c. à soupe de marmelade d'orange	*110*
60 mL (1/4 t.) d'huile de maïs	*600*
114 g (1/2 t.) de noix de Grenoble hachées	*395*

1. Dans le bol à mélanger moyen, mêler tous les ingrédients secs ensemble.

2. Dans un petit bol, mélanger l'oeuf, le lait, la marmelade et l'huile de maïs.

3. Incorporer les liquides aux ingrédients secs en une seule fois, brasser juste pour humecter les ingrédients ensemble.

4. Verser dans un moule à pain graissé.

5. Cuire 45 minutes à 180°C (350°F).

Temps de préparation: 10 à 15 minutes
Temps de cuisson: 45 minutes
Rendement: 1 pain (12 tranches)

Recette modifiée

---

232 g (2 t.) de farine de blé entier	*800*
40 g (1/4 t.) de cassonade	*205*
1/2 c. à café de sel	*0*
1/2 c. à café de bicarbonate de soude	*0*
2 c. à café de poudre à lever	*0*
1 oeuf battu	*80*
175 mL (3/4 t.) de lait écrémé	*67*
1 c. à soupe de zeste d'orange	*0*
2 c. à soupe d'huile de maïs	*250*
57 g (1/4 t.) de germe de blé	*125*

---

1. Dans le bol à mélanger moyen, mêler tous les ingrédients secs ensemble.
2. Dans le petit bol, mélanger l'oeuf, le lait, l'huile et le zeste d'orange.
3. Incorporer les liquides aux ingrédients secs en une seule fois, juste pour mêler les ingrédients ensemble.
4. Verser dans un moule à pain graissé.
5. Cuire 45 minutes à 180°C (350°F).

Valeur nutritive comparée

Valeur nutritive par portion	Recette originale	Recette modifiée
Calories	204 calories	127 calories
Protéines	4,5 g	4,0 g
Lipides (gras)	9,0 g	3,0 g
Glucides (sucres)	25,5 g	19,0 g

Avantages de la recette modifiée

1 1/2 fois moins de calories.
3 fois moins de gras.
Un peu moins de sucre.

Dans un petit déjeuner complet (menu suggéré)

	Calories
2 moitiés de pêches recouvertes	35
de 113 g (1/2 t.) de fromage cottage	120
1 tranche de pain à l'orange,	
recette modifiée	127
185 mL (3/4 t.) de café au lait (écrémé)	45
TOTAL	327

Variantes: pour un pain à l'ananas, employer du jus d'ananas. On peut utiliser de la farine tout-usage.

Ingrédient facultatif: germe de blé.

Présentation et service: présentation originale: pour servir des tranches rondes, verser la pâte dans une boîte de conserve de 796 mL (28 oz) graissée. Pour démouler plus facilement, ouvrir le fond de la boîte de conserve à l'aide d'un ouvre-boîte une fois que le pain est cuit et refroidi; passer ensuite un couteau autour du pain. Se sert bien comme petit déjeuner ou comme dessert; se glisse bien dans la boîte à lunch.

Utilisation de la recette modifiée si vous suivez une diète

Réduite en sodium (sel) (hypertension, rétention d'eau, cardiaques)	Réduite en cholestérol et/ou gras (maladies du coeur, foie, athérosclérose)	Calculée pour diabétiques (équivalences)
À éviter	Recommandé	1 portion = 1 1/2 pain + 1/2 gras

Conservation: trois à quatre jours. Se congèle bien une fois tranché. Séparer les tranches par des carrés de papier aluminium avant de congeler. Décongeler selon les besoins et réchauffer si désiré.

Préparation: ne pas trop brasser le mélange de pâte. Déposer le pain dans un four préalablement chauffé.

Autre remarque: plus nutritif et moins riche en calories que les gâteaux.

Pour personne seule: faire le pain entier. Refroidir, trancher et congeler en tranches individuelles. Décongeler selon les besoins.

Croustade de pommes

Ustensiles

1 plat allant au four	1 planche
Tasses et cuillères	1 petit couteau tranchant
à mesurer	1 bol à mélanger
1 fourchette et 1 cuillère	

Recette originale

4 pommes pelées et tranchées *280*
1 c. à soupe de jus de citron *5*
60 g (1/3 t.) de cassonade *267*
45 g (1/4 t.) de raisins secs *115*
75 g (1/3 t.) de beurre ou de margarine fondue *535*
57 g (1/4 t.) de farine tout-usage *193*
126 g (3/4 t.) de gruau *234*
1 1/2 c. à café de cannelle *0*
60 g (1/3 t.) de cassonade *267*

1. Déposer les pommes dans un plat allant au four avec 60 g (1/3 t.) de cassonade et les raisins secs. Arroser de jus de citron.

2. Mêler ensemble la farine, le gruau, 60 g (1/3 t.) de cassonade, la cannelle, le beurre ou la margarine fondue.

3. Bien mêler pour lier les ingrédients et recouvrir les pommes de ce mélange.

4. Cuire 30 minutes à 180°C (350°F).

5. Servir tiède de préférence.

Temps de préparation: 20 minutes
Temps de cuisson: 30 minutes
Rendement: 6 portions

Recette modifiée

---

4 pommes pelées et tranchées	*280*
1 c. à soupe de jus de citron	*5*
1 c. à soupe de cassonade	*50*
2 c. à soupe de raisins secs	*57*
3 c. à soupe de beurre ou de margarine fondue	*300*
28 g (1/4 t.) de farine de blé entier	*100*
84 g (1/2 t.) de gruau	*156*
1/2 c. à café de cannelle	*0*
2 c. à soupe de cassonade	*100*

---

1. Déposer les pommes dans un plat allant au four avec 1 c. à soupe de cassonade et les raisins secs. Arroser de jus de citron.

2. Mêler ensemble la farine, le gruau, 2 c. à soupe de cassonade, la cannelle, le beurre ou la margarine fondue.

3. Bien mêler pour lier les ingrédients et recouvrir les pommes de ce mélange.

4. Cuire 30 minutes à 180°C (350°F).

5. Servir tiède de préférence.

Valeur nutritive comparée

Valeur nutritive par portion	Recette originale	Recette modifiée
Calories	316 calories	174 calories
Protéines	3,0 g	1,5 g
Lipides (gras)	10,5 g	6,0 g
Glucides (sucres)	54,0 g	29,0 g

Avantages de la recette modifiée

Presque 2 fois moins de calories.
1 1/2 fois moins de gras.
Presque 2 fois moins de sucre.

Dans un repas complet (menu suggéré)

	Calories
185 mL (3/4 t.) de salade verte et	11
1/2 c. à soupe de vinaigrette	30
1 omelette au fromage	
[1 oeuf, 30 g (1 oz) de fromage écrémé]	131
1 tranche de pain de blé entier	72
1 portion de croustade de pommes,	
recette modifiée	174
TOTAL	418

Variantes: les pommes peuvent être remplacées par d'autres fruits: poires, pêches, ananas, etc., et les raisins secs par d'autres fruits séchés hachés: dattes ou abricots par exemple. On peut utiliser de la farine tout-usage.

Ingrédient facultatif: cannelle.

Présentation et service: peut se servir chaude, tiède ou froide. On peut la déguster avec un peu de yogourt nature.

Variation saisonnière: pendant l'été, on peut employer des poires et des pêches fraîches. À l'automne, il est beaucoup plus avantageux d'utiliser des pommes.

Utilisation de la recette modifiée si vous suivez une diète

Réduite en sodium (sel) (hypertension, rétention d'eau, cardiaques)	Réduite en cholestérol et/ou gras (maladies du coeur, foie, athérosclérose)	Calculée pour diabétiques (équivalences)
Permis	Utiliser une margarine polyinsaturée	1 portion = 1 pain + 1 1/2 fruit + 1 gras

Conservation: environ deux jours au réfrigérateur. Ne pas congeler.

Préparation: il est important d'arroser les pommes ou les poires de jus de citron pour les empêcher de noircir. Ne pas préparer à l'avance.

Utilisation des restes: les pommes qui commencent à amollir peuvent être utilisées.

Pour personne seule:
Quantités pour 2 portions

2 petites pommes
1 c. à café de jus de citron
2 c. à café de raisins secs
1 c. à soupe de beurre ou de margarine
4 c. à café de farine de blé entier
3 c. à soupe de gruau

Tarte jardinière

Ustensiles

1 assiette à tarte
   de 22 cm (9 po)
1 bain-marie
1 cuillère en bois
Tasses et cuillères
   à mesurer

1 petit bol
1 cuillère
1 planche
1 petit couteau tranchant

Recette originale

---

1 abaisse de pâte cuite 22 cm (9 po) 675
375 mL (1 1/2 t.) de lait entier 240
57 g (1/2 t.) de sucre 385
3 jaunes d'oeufs 180
2 c. à soupe de farine 48
1/2 c. à café de vanille 0
75 g (1/2 t.) de fraises tranchées 27
75 g (1/2 t.) de raisins verts coupés en moitiés 48
75 g (1/2 t.) de pêches tranchées 32
85 mL (1/3 t.) de gelée de pomme 293

---

1. Faire frémir le lait au bain-marie.

2. Mélanger ensemble les jaunes d'oeufs, le sucre et la farine et ajouter peu à peu au lait chaud en remuant constamment jusqu'à épaississement.

3. Retirer du feu. Ajouter la vanille et refroidir.

4. Verser sur l'abaisse de tarte cuite.

5. Décorer avec les fraises, les pêches et les raisins.

6. Faire chauffer la gelée de pomme dans une petite casserole et verser également sur les fruits.

7. Refroidir complètement avant de servir (au moins 3 heures).

Temps de préparation: 30 minutes
Rendement: 6 portions

Recette modifiée

Le quart d'un gâteau des anges de 22 cm (9 po)	*330*
375 mL (1 1/2 t.) de lait écrémé	*135*
57 g (1/4 t.) de sucre	*180*
2 jaunes d'oeufs	*120*
2 c. à soupe de farine	*48*
1/2 c. à café de vanille	*0*
75 g (1/2 t.) de fraises tranchées	*27*
75 g (1/2 t.) de raisins verts coupés en moitiés	*48*
75 g (1/2 t.) de pêches tranchées	*32*
Omettre la gelée	*0*

---

1. Couper des tranches de gâteau des anges de 1 cm (1/2 po) d'épaisseur et les étaler dans le fond et sur les bords d'une assiette à tarte de 22 cm (9 po).

2. Faire frémir le lait au bain-marie.

3. Mélanger ensemble les jaunes d'oeufs, le sucre et la farine et ajouter graduellement au lait chaud en remuant.

4. Retirer du feu. Ajouter la vanille et refroidir avant de verser sur les tranches de gâteau des anges.

5. Décorer avec les fraises, les raisins et les pêches.

6. Réfrigérer au moins 3 heures avant de servir.

Valeur nutritive comparée

Valeur nutritive par portion	Recette originale	Recette modifiée
Calories	321 calories	153 calories
Protéines	5,5 g	5,0 g
Lipides (gras)	12,0 g	2,0 g
Glucides (sucres)	48,0 g	28,0 g

Avantages de la recette modifiée

2 fois moins de calories.
6 fois moins de gras.
1 1/2 fois moins de sucre.

Dans un repas complet (menu suggéré)

	Calories
125 mL (1/2 t.) de soupe aux légumes	40
1 croque-monsieur:	
1 tranche de pain de blé entier	72
60 g (2 oz) de thon égoutté	112
30 g (1 oz) de fromage	
écrémé blanc (St-Georges)	51
(griller au four)	
1 portion de tarte jardinière,	
recette modifiée	153
TOTAL	438

Variantes: on peut remplacer les tranches de gâteau des anges par des biscuits Graham. On peut également employer d'autres fruits pour la décoration de la tarte.

Présentation et service: peut se préparer dans un moule carré pour obtenir des carrés aux fruits. On peut également utiliser une seule sorte de fruits, par exemple: tarte flan et fraises, tarte flan et pêches ou abricots.

Variations saisonnières: employer les fruits de saison. Pendant l'hiver, on peut utiliser des fruits en conserve bien égouttés.

Utilisation de la recette modifiée si vous suivez une diète

Réduite en sodium (sel) (hypertension, rétention d'eau, cardiaques)	Réduite en cholestérol et/ou gras (maladies du coeur, foie, athérosclérose)	Calculée pour diabétiques (équivalences)
Permis	Avec modération	1 portion = 1 pain + 1 fruit + 1/2 lait

Conservation: de un à trois jours au réfrigérateur. Ne se congèle pas.

Préparation: si l'on utilise des tranches de bananes, il faut auparavant les faire tremper quelques minutes dans le jus de citron pour les empêcher de noircir. Peut se préparer la veille.

Autre remarque: dessert très appétissant, surtout si l'on utilise des fruits de formes et de couleurs variées.

Pour personne seule: à préparer lorsque vous recevez des invités.

DESSERTS
LÉGERS

Délice aux mandarines

Ustensiles

1 casserole	1 ouvre-boîte
1 plat allant au four	1 passoire
1 mixette électrique	Tasses et cuillères
1 bol à mélanger	à mesurer
1 cuillère en bois	1 petit bol

Recette originale

2 c. à soupe de beurre	*200*
625 mL (2 1/2 t.) de lait entier	*400*
57 g (1/4 t.) de riz à grains courts	*185*
114 g (1/2 t.) de sucre	*385*
227 g (1 t.) de mandarines égouttées	*80*
2 oeufs, séparés	*160*
57 g (1/4 t.) de sucre	*180*
1 c. à café de vanille	*0*

1. Faire fondre le beurre dans une casserole, ajouter le lait et le riz et laisser bouillir en remuant jusqu'à ce que le mélange soit crémeux et épais.

2. Ajouter 114 g (1/2 t.) de sucre. Laisser tiédir un peu et ajouter les jaunes d'oeufs et la vanille en brassant.

3. Couvrir de mandarines le fond d'un moule graissé en en gardant quelques-unes pour la décoration.

4. Verser le mélange de riz sur les mandarines.

5. Battre les blancs d'oeufs en neige ferme avec 2 c. à soupe de sucre.

6. Disposer la meringue sur le riz et faire dorer au gril 5 minutes.

7. Décorer de quelques sections de mandarines.

Temps de préparation: 25 minutes
Temps de cuisson: 5 minutes
Rendement: 6 portions

Recette modifiée

Omettre le beurre	*0*
625 mL (2 1/2 t.) de lait écrémé	*225*
57 g (1/4 t.) de riz à grains courts	*185*
57 g (1/4 t.) de sucre	*193*
115 g (1 t.) de mandarines égouttées	*80*
2 oeufs, séparés	*160*
2 c. à soupe de sucre	*90*
1 c. à café de vanille	*0*

---

1. Dans une casserole, mélanger le lait et le riz et laisser bouillir en remuant jusquà ce que le mélange soit crémeux et épais.
2. Ajouter 57 g (1/4 t.) de sucre. Laisser tiédir un peu et ajouter les jaunes d'oeufs et la vanille en brassant.
3. Couvrir de mandarines le fond d'un moule graissé en en gardant quelques-unes pour la décoration.
4. Verser le mélange de riz sur les mandarines.
5. Battre les blancs d'oeufs en neige ferme avec 2 c. à soupe de sucre.
6. Disposer la meringue sur le riz et faire dorer au gril 5 minutes.
7. Décorer de quelques sections de mandarines.

Valeur nutritive comparée

Valeur nutritive par portion	Recette originale	Recette modifiée
Calories	265 calories	146 calories
Protéines	6,5 g	6,5 g
Lipides (gras)	10,0 g	2,0 g
Glucides (sucres)	39,0 g	27,5 g

Avantages de la recette modifiée

2 fois moins de calories.
Autant de protéines.
5 fois moins de gras.
1 1/2 fois moins de sucre.

Dans un repas complet (menu suggéré)

	Calories
250 mL (1 t.) de bouillon de poulet	14
75 g (3 oz) de boeuf haché maigre grillé	150
114 g (1/2 t.) de pommes de terre en purée (sans beurre)	65
114 g (1/2 t.) de choux de Bruxelles	23
1 portion de délice aux mandarines, recette modifiée	146
TOTAL	396

Variantes: remplacer les mandarines par d'autres fruits: sections d'oranges, morceaux d'ananas ou de pêches, salade de fruits, abricots, etc.

Présentation et service: on peut servir des portions individuelles en déposant la préparation dans 6 moules à flan.

Variations saisonnières: utiliser les fruits de saison. Hors saison, il est plus économique de choisir des fruits en conserve, à condition de bien les égoutter avant de les ajouter à la préparation.

Utilisation de la recette modifiée si vous suivez une diète

Réduite en sodium (sel) (hypertension, rétention d'eau, cardiaques)	Réduite en cholestérol et/ou gras (maladies du coeur, foie, athérosclérose)	Calculée pour diabétiques (équivalences)
Permis	Avec modération	1 portion = 1 pain + 1/2 fruit + 1/2 gras + 1 lait écrémé

Conservation: ce dessert est meilleur s'il est consommé immédiatement, car la meringue a tendance à s'affaisser si on la laisse reposer quelques heures. Ne se congèle pas.

Préparation: ne pas préparer la meringue à l'avance.

Pour personne seule: inviter des amis ou encore préparer le tiers de la recette en acceptant que la deuxième portion soit moins bonne au repas suivant.

Bavarois aux framboises

Ustensiles

1 mélangeur
1 bol à mélanger
1 cuillère

Tasses et cuillères
  à mesurer
1 petit chaudron
1 passoire
1 spatule en caoutchouc

Recette originale

1 paquet de 120 g (3 oz) de gélatine à saveur de framboise *315*
250 mL (1 t.) d'eau bouillante *0*
60 mL (1/4 t.) d'eau froide *0*
150 g (1 t.) de framboises décongelées sucrées *234*
125 mL (1/2 t.) de crème à 35 % *345*

1. Dissoudre la gélatine dans l'eau bouillante. Ajouter l'eau froide et laisser prendre partiellement, jusqu'à consistance de blanc d'oeuf non battu.

2. Pendant ce temps, fouetter la crème.

3. Lorsque la gélatine est partiellement prise, ajouter les framboises et fouetter à l'aide d'une mixette jusqu'à l'obtention d'une mousse.

4. Incorporer la crème fouettée.

5. Verser dans des coupes et réfrigérer jusqu'à consistance ferme.

Temps de préparation: 15 minutes
Rendement: 4 portions

Recette modifiée

---

1 enveloppe de gélatine sans saveur	*35*
60 mL (1/4 t.) de jus des framboises	*15*
2 c. à soupe de lait écrémé froid	*11*
150 g (1 t.) de framboises décongelées non sucrées	*70*
125 mL (1/2 t.) de lait écrémé	*45*
1 oeuf	*80*
1 c. à soupe de sucre blanc	*45*
glace concassée	*0*

---

1. Faire gonfler la gélatine dans 2 c. à soupe de lait froid durant 5 minutes.

2. Chauffer le jus de framboises. Verser sur la gélatine dissoute.

3. Ajouter les framboises, le sucre, l'oeuf et verser le tout dans un mélangeur.

4. Faire fonctionner l'appareil jusqu'à ce que les fruits soient bien liquéfiés.

5. Ajouter le lait et la glace concassée.

6. Mélanger de nouveau jusqu'à ce que la glace soit parfaitement dissoute.

7. Verser dans des coupes et réfrigérer jusqu'à consistance ferme.

Valeur nutritive comparée

Valeur nutritive par portion	Recette originale	Recette modifiée
Calories	224 calories	75 calories
Protéines	1,0 g	5,0 g
Lipides (gras)	9,0 g	2,0 g
Glucides (sucres)	35,0 g	10,0 g

Avantages de la recette modifiée

3 fois moins de calories.
5 fois plus de protéines.
4 1/2 fois moins de gras.
3 1/2 fois moins de sucre.

Dans un repas complet (menu suggéré)

	Calories
125 mL (1/2 t.) de soupe aux légumes	40
60 g (2 oz) de foie de porc frit	136
1 petite pomme de terre au four	80
114 g (1/2 t.) de chou-fleur	13
1 portion de bavarois aux framboises, recette modifiée	75
et 2 biscuits secs "Social Tea"	40
TOTAL	384

Variantes: les fraises peuvent remplacer les framboises. Le lait écrémé peut être remplacé par la même quantité de yogourt nature.

Présentation et service: on peut verser le mélange dans un moule pour aspic ou un moule en couronne et décorer de framboises (ou de fraises) fraîches.

Variations saisonnières: en été, on peut utiliser des framboises (ou des fraises) fraîches et remplacer le jus des framboises par 60 mL (1/4 t.) de jus d'orange ou de pommes non sucré.

Utilisation de la recette modifiée si vous suivez une diète

Réduite en sodium (sel) (hypertension, rétention d'eau, cardiaques)	Réduite en cholestérol et/ou gras (maladies du coeur, foie, athérosclérose)	Calculée pour diabétiques (équivalences)
Permis	Recommandé	1 portion = 1 fruit + 1/2 gras + 1 lait écrémé

Conservation: deux à trois jours au réfrigérateur. Ne se congèle pas.

Préparation: peut se préparer la veille.

Autre remarque: dessert léger et rafraîchissant pour les journées chaudes.

Pour personne seule: la demi-recette représente deux portions.

Quantités pour la demi-recette

2 c. à soupe d'oeuf battu (le reste pourra servir dans une omelette)
1/2 enveloppe (1 1/2 c. à café) de gélatine neutre
1 c. à soupe de lait écrémé froid
1/2 c. à soupe de sucre
2 c. à soupe de jus des framboises
60 mL (1/4 t.) de lait écrémé
75 g (1/2 t.) de framboises décongelées non sucrées

Pouding au riz

Ustensiles

1 bain-marie
1 cuillère en bois

Tasses et cuillères
à mesurer

Recette originale

57 g (1/4 t.) de riz à grains courts *185*
57 g (1/2 t.) de sucre *360*
625 mL (2 1/2 t.) de lait entier *400*
1 c. à café de vanille *0*
38 g (1/4 t.) de raisins secs *115*

1. Mélanger ensemble le riz, le lait et le sucre dans la partie supérieure du bain-marie.
2. Laisser cuire à feu doux environ 2 heures ou jusqu'à ce que le riz ait absorbé le lait.
3. Tiédir. Ajouter la vanille et les raisins secs.
4. Refroidir avant de servir.

Temps de préparation: 5 minutes
Temps de cuisson: Environ 2 heures
Rendement: 4 portions

Recette modifiée

---

57 g (1/4 t.) de riz à grains courts	*185*
2 c. à soupe de sucre	*90*
625 mL (2 1/2 t.) de lait écrémé	*225*
1 c. à café de vanille	*0*
38 g (1/4 t.) de raisins secs	*115*

---

1. Mélanger ensemble le riz, le lait et le sucre dans la partie supérieure du bain-marie.
2. Laisser cuire à feu doux environ 2 heures ou jusqu'à ce que le riz ait absorbé le lait.
3. Tiédir. Ajouter la vanille et les raisins secs.
4. Refroidir avant de servir.

Valeur nutritive comparée

Valeur nutritive par portion	Recette originale	Recette modifiée
Calories	265 calories	154 calories
Protéines	7,0 g	7,0 g
Lipides (gras)	6,0 g	trace
Glucides (sucres)	50,5 g	32,5 g

Avantages de la recette modifiée

Presque 2 fois moins de calories.
6 fois moins de gras (aucun).
1 1/2 fois moins de sucre.

Dans un repas complet (menu suggéré)

	Calories
250 mL (1 t.) de bouillon de poulet	13
227 g (1 t.) de fèves germées au poulet	180
Salade d'épinards et	4
1/2 c. à soupe de vinaigrette	30
1 portion de pouding au riz, recette modifiée	154
TOTAL	378

Variantes: on peut remplacer les raisins secs par d'autres fruits séchés tels que dattes hachées ou abricots. On peut aussi remplacer les fruits séchés par des fruits frais ou en conserve, égouttés (pêches, ananas, salade de fruits, mandarines). On peut utiliser du lait écrémé en poudre reconstitué.

Présentation et service: décorer de morceaux de fruits et de germe de blé.

Variations saisonnières: décorer de fraises ou de framboises fraîches pendant l'été. L'hiver: décorer de tranches de pêches ou d'un autre fruit en conserve.

Utilisation de la recette modifiée si vous suivez une diète

Réduite en sodium (sel) (hypertension, rétention d'eau, cardiaques)	Réduite en cholestérol et/ou gras (maladies du coeur, foie, athérosclérose)	Calculée pour diabétiques (équivalences)
Permis	Permis	1 portion = 1 pain + 1 fruit + 1 lait écrémé

Conservation: se conserve deux à trois jours au réfrigérateur. Ne se congèle pas.

Préparation: peut se préparer la veille.

Autres remarques: c'est une excellente façon d'obtenir plus de calcium dans l'alimentation. Les enfants, les adolescents, les femmes enceintes et les nourrices ont besoin de plus de calcium.

Pour personne seule: la demi-recette donne deux portions.

Bavarois à l'ananas

Ustensiles

2 bols à mélanger
    (1 grand et 1 moyen)
1 petit chaudron
Tasses et cuillères
    à mesurer
1 mixette électrique
1 planche

1 petit couteau tranchant
1 casserole peu profonde
1 spatule de caoutchouc
Coupes à dessert
1 ouvre-boîte
1 cuillère en bois
1 passoire

Recette originale

1 boîte de 85 g (3 oz) de gélatine aromatisée à l'ananas	*315*
125 mL (1/2 t.) d'eau bouillante	*0*
60 mL (1/4 t.) d'eau froide	*0*
150 g (1 t.) d'ananas broyé égoutté	*75*
6 cerises rouges au marasquin, hachées	*58*
2 c. à soupe de noix hachées	*100*
1 c. à soupe de jus de citron	*5*
500 mL (2 t.) de crème à fouetter	*1382*

1. Dissoudre en remuant la gélatine dans l'eau bouillante.

2. Ajouter l'eau froide et laisser prendre partiellement (jusqu'à consistance de blanc d'oeuf non battu).

3. Pendant ce temps, hacher les cerises et les noix et fouetter la crème.

4. Lorsque la gélatine est partiellement prise, ajouter les cerises, les noix, le jus de citron et les ananas.

5. Incorporer la crème fouettée au mélange en pliant.

6. Verser dans des coupes à dessert et laisser prendre au froid.

Temps de préparation: 35 à 45 minutes
Rendement: 10 portions

Recette modifiée

---

2 c. à soupe de gélatine neutre	*70*
125 mL (1/2 t.) d'eau froide	*0*
25 mL (1 t.) de jus d'ananas non sucré	*135*
150 g (1 t.) d'ananas broyé non sucré	*75*
9 fraises hachées	*28*
2 c. à soupe de noix hachées	*100*
1 c. à soupe de jus de citron	*5*
500 mL (2 t.) de lait évaporé 2%	*586*

---

1. Faire chauffer le jus d'ananas.
2. Verser le lait évaporé dans une casserole peu profonde et déposer au congélateur jusqu'à formation de cristaux sur les rebords (environ 30 minutes).
3. Faire gonfler la gélatine dans l'eau froide 5 minutes. Ajouter le jus d'ananas chaud et brasser pour dissoudre.
4. Laisser prendre jusqu'à consistance de blanc d'oeuf non battu. À ce stade, ajouter les ananas, les noix et les fraises.
5. Fouetter le lait évaporé avec le jus de citron à l'aide d'une mixette électrique jusqu'à consistance de crème fouettée et ajouter au mélange de gélatine en pliant.
6. Verser dans des coupes à dessert et laisser prendre au froid.

Valeur nutritive comparée

Valeur nutritive par portion	Recette originale	Recette modifiée
Calories	193 calories	100 calories
Protéines	2,0 g	6,0 g
Lipides (gras)	15,0 g	3,0 g
Glucides (sucres)	13,0 g	11,0 g

Avantages de la recette modifiée

2 fois moins de calories.

3 fois plus de protéines.

5 fois moins de gras.

Un peu moins de sucre.

Dans un repas complet (menu suggéré)

	Calories
125 mL (1/2 t.) de crème de céleri (au lait écrémé)	65
90 g (3 oz) de saumon grillé	155
114 g (1/2 t.) de pommes de terre en purée (sans beurre)	65
114 g (1/2 t.) de salade verte et 1/2 c. à soupe de vinaigrette	11
	30
1 portion de bavarois à l'ananas, recette modifiée	100
TOTAL	426

Variantes: l'ananas broyé peut être remplacé par des pêches hachées finement, des fraises, des framboises ou de la salade de fruits et le jus d'ananas par du jus d'orange, de raisin, de pomme ou de canneberge.

Présentation et service: on peut aussi verser la préparation dans un moule à aspic. On peut également étendre des biscuits Graham dans un moule carré avant d'y verser la préparation. Refroidir et couper en carrés.

Variations saisonnières: été: fruits frais. Hiver: fruits en conserve ou congelés, bien égouttés.

Utilisation de la recette modifiée si vous suivez une diète

Réduite en sodium (sel) (hypertension, rétention d'eau, cardiaques)	Réduite en cholestérol et/ou gras (maladies du coeur, foie, athérosclérose)	Calculée pour diabétiques (équivalences)
Permis	Permis	1 portion = 1 fruit + 1 lait écrémé + 1/2 gras

Conservation: trois à quatre jours au réfrigérateur. Ne se congèle pas.

Préparation: si l'on utilise des morceaux d'ananas frais, les faire bouillir environ 1 minute, puis égoutter et refroidir avant de les ajouter à la préparation. La chaleur détruit l'enzyme responsable de la liquéfaction de la gélatine. Il n'est pas nécessaire de faire bouillir l'ananas en conserve qui a déjà subi un traitement à la chaleur. Peut être préparé la veille.

Pour personne seule: à préparer seulement si vous avez des invités, sinon vous en aurez pour la semaine!

Blanc-manger à l'érable

Ustensiles

1 bain-marie
Tasses et cuillères
  à mesurer

Coupes à dessert
1 cuillère en bois

Recette originale

---

500 mL (2 t.) de lait entier *320*
57 g (1/4 t.) de sucre *180*
60 mL (1/4 t.) de sirop d'érable *200*
57 g (1/4 t.) de fécule de maïs *120*
1/4 c. à café de sel *0*

---

1. Faire frémir le lait dans la partie supérieure du bain-marie.
2. Pendant ce temps, mélanger ensemble le sucre, la fécule de maïs et le sel.
3. Ajouter le sirop d'érable au lait chaud, ainsi que le mélange sucre et fécule.
4. Remuer avec une cuillère en bois à feu doux jusqu'à épaississement.
5. Couvrir et laisser cuire 10 minutes au bain-marie.
6. Retirer du feu. Refroidir.
7. Verser dans des coupes à dessert et réfrigérer.

Temps de préparation: 15 minutes
Temps de cuisson: 10 minutes
Rendement: 4 portions de 125 mL (1/2 tasse)

Recette modifiée

---

500 mL (2 t.) de lait écrémé	*180*
3 c. à soupe de sucre	*135*
1/2 c. à café d'essence d'érable	*0*
3 c. à soupe de fécule de maïs	*90*
1/4 c. à café de sel	*0*

---

1. Faire frémir le lait dans la partie supérieure du bain-marie.
2. Pendant ce temps, mélanger ensemble le sucre, la fécule de maïs et le sel.
3. Ajouter ce mélange au lait chaud.
4. Remuer constamment avec une cuillère de bois à feu doux jusqu'à épaississement.
5. Couvrir et laisser cuire 10 minutes au bain-marie.
6. Retirer du feu, ajouter l'essence d'érable et refroidir.
7. Verser dans des coupes à dessert et réfrigérer.

Valeur nutritive comparée

Valeur nutritive par portion	Recette originale	Recette modifiée
Calories	205 calories	101 calories
Protéines	4,5 g	4,5 g
Lipides (gras)	4,5 g	trace
Glucides (sucres)	36,0 g	21,0 g

Avantages de la recette modifiée

2 fois moins de calories.
Autant de protéines.
4 1/2 fois moins de gras (aucun).
Un peu moins de sucre.

Dans un repas complet (menu suggéré)

	Calories
75 g (2 1/2 oz) de pain de viande	264
114 g (1/2 t.) de pommes de terre en purée	65
114 g (1/2 t.) de brocoli	20
1 portion de blanc-manger à l'érable, recette modifiée	101
TOTAL	450

Variantes: on pourrait utiliser du sucre ou du sirop d'érable au lieu du sucre blanc et enlever l'essence d'érable.

Présentation et service: en versant la préparation dans de petits moules à aspic individuels, on peut les servir démoulés et décorés de morceaux de fruits ou de germe de blé.

Utilisation de la recette modifiée si vous suivez une diète

Réduite en sodium (sel) (hypertension, rétention d'eau, cardiaques)	Réduite en cholestérol et/ou gras (maladies du coeur, foie, athérosclérose)	Calculée pour diabétiques (équivalences)
Omettre le sel	Permis	1 portion = 1 lait écrémé + 1 1/2 fruit

Conservation: trois à quatre jours au réfrigérateur. Ne se congèle pas.

Préparation: il est important de laisser cuire 10 à 15 minutes au bain-marie après épaississement, afin de dissiper le goût amer de la fécule. Si l'on utilise du sucre d'érable ou du sirop d'érable, il faut l'ajouter au lait frémissant. On doit alors délayer la fécule de maïs dans 3 c. à soupe d'eau froide avant de l'ajouter au lait chaud. Peut être préparé la veille.

Autre remarque: augmente la teneur en calcium du régime alimentaire.

Pour personne seule: la demi-recette donne deux portions.

Tapioca aux pêches

Ustensiles

1 casserole moyenne
1 cuillère en bois
1 bol à mélanger moyen
1 mixette électrique

Tasses et cuillères
   à mesurer
1 ouvre-boîte
1 passoire
1 fourchette et 1 petit bol
Coupes à dessert

Recette originale

1 bte de 400 g (14 oz) de pêches tranchées	*75*
2 jaunes d'oeufs	*120*
125 mL (1/2 t.) de sirop de pêches	*125*
375 mL (1 1/2 t.) de lait entier	*240*
114 g (1/2 t.) de tapioca minute	*268*
72 g (1/3 t.) de sucre	*257*
Sel	*0*
2 blancs d'oeufs	*30*
57 g (1/4 t.) de sucre	*180*
250 mL (1 t.) de crème sure	*456*
1 c. à café de vanille	*0*

1. Égoutter les pêches, conserver le sirop et réduire les pêches en purée.

2. Dans une casserole, battre les jaunes d'oeufs avec le sirop des pêches et le lait.

3. Ajouter le tapioca, le sel et 72 g (1/3 t.) de sucre.

4. Amener à ébullition et faire cuire quelques minutes de plus en brassant constamment. Retirer du feu et ajouter la purée de pêches.

5. Battre les blancs d'oeufs en neige avec 57 g (1/4 t.) de sucre. Incorporer en pliant dans le mélange de tapioca, avec la crème sure et la vanille.

6. Refroidir à la température de la pièce en brassant de temps en temps.

7. Verser dans des coupes à dessert.

Temps de préparation: 30 minutes
Rendement: 8 portions

Recette modifiée

400 g (14 oz.) de pêches tranchées dans un jus non sucré	*75*
2 jaunes d'oeufs	*120*
125 mL (1/2 t.) du jus non sucré des pêches	*65*
375 mL (1 1/2 t.) de lait écrémé	*135*
114 g (1/2 t.) de tapioca minute	*268*
57 g (1/4 t.) de sucre	*180*
Sel	*0*
2 blancs d'oeufs	*30*
2 c. à soupe de sucre	*90*
250 mL (1 t.) de yogourt nature écrémé	*100*
1 c. à café de vanille	*0*

1. Égoutter les pêches, conserver le jus et réduire les pêches en purée.

2. Dans une casserole, battre les jaunes d'oeufs avec le jus des pêches et le lait.

3. Ajouter le tapioca, le sel et 57 g (1/4 t.) de sucre.

4. Amener à ébullition et faire cuire quelques minutes de plus en brassant constamment. Retirer du feu et ajouter la purée de pêches.

5. Battre les blancs d'oeufs en neige avec 2 c. à soupe de sucre. Incorporer en pliant dans le mélange de tapioca avec le yogourt nature et la vanille.

6. Refroidir à la température de la pièce en brassant de temps en temps.

7. Verser dans des coupes à dessert. Réfrigérer.

Valeur nutritive comparée

Valeur nutritive par portion	Recette originale	Recette modifiée
Calories	219 calories	133 calories
Protéines	4,5 g	4,5 g
Lipides (gras)	8,0 g	1,0 g
Glucides (sucres)	32,0 g	24,0 g

Avantages de la recette modifiée

1 1/2 fois moins de calories.
Autant de protéines.
8 fois moins de gras.
Un peu moins de sucre.

Dans un repas complet (menu suggéré)

	Calories
Crudités: céleri-courgettes-carottes	20
Spaghetti: 170 g (3/4 t.) de pâtes au blé entier, cuites	116
et 125 mL (1/2 t.) de sauce à la viande	128
1 portion de tapioca aux pêches, recette modifiée	133
TOTAL	397

Variantes: les pêches peuvent être remplacées par de l'ananas broyé ou des sections de mandarines.

Présentation et service: réserver quelques morceaux de fruits pour décorer les coupes à dessert. On peut saupoudrer du germe de blé ou garnir de quelques noix hachées.

Variations saisonnières: l'été, on peut utiliser des pêches fraîches (1 bte de 400 g (14 oz) de pêche vaut 2 pêches moyennes). À ce moment-là, remplacer le jus de pêches par du jus d'ananas non sucré.

Utilisation de la recette modifiée si vous suivez une diète

Réduite en sodium (sel) (hypertension, rétention d'eau, cardiaques)	Réduite en cholestérol et/ou gras (maladies du coeur, foie, athérosclérose)	Calculée pour diabétiques (équivalences)
Omettre le sel	Omettre les jaunes d'oeufs de la recette	1 portion = 1 pain + 1/2 fruit + 1/2 lait écrémé

Conservation: deux à trois jours au réfrigérateur. Ne se congèle pas.

Préparation: peut être préparé la veille.

Pour personne seule: il est préférable d'attendre d'avoir des invités, puisque cette recette donne 8 portions.

Bananes flambées

Ustensiles

1 grand poêlon téflonisé	Tasses et cuillères
1 cuillère en bois	à mesurer
1 petit couteau	1 grande assiette de service
	1 spatule

Recette originale

57 g (1/4 t.) de beurre ou de margarine	*400*
4 bananes moyennes pelées et coupées en deux dans	
le sens de la longueur	*340*
170 g (3/4 t.) de sucre	*540*
1 c. à soupe de jus de citron	*5*
60 mL (1/4 t.) de rhum	*140*

1. Dans le grand poêlon, faire fondre le beurre ou la margarine à feu doux.
2. Ajouter les bananes. Saupoudrer de sucre et asperger de jus de citron.
3. Faire dorer les bananes des deux côtés à feu doux.
4. Disposer les bananes dans une assiette de service.
5. Verser le rhum dans le poêlon et brasser pour dissoudre les miettes de sucre caramélisé.
6. Flamber et verser sur les bananes.

Temps de préparation: 5 minutes
Temps de cuisson: 10 minutes
Rendement: 4 portions

Recette modifiée

---

1 c. à soupe de beurre ou de margarine	*100*
4 bananes moyennes pelées et coupées dans le sens de la longueur	*340*
2 c. à soupe de sucre	*90*
1 c. à soupe de jus de citron	*5*
60 mL (1/4 t.) de rhum	*140*

---

1. Dans le grand poêlon téflonisé, faire fondre le beurre ou la margarine à feu doux.
2. Ajouter les bananes. Saupoudrer de sucre et asperger de jus de citron.
3. Faire dorer les bananes des deux côtés à feu doux.
4. Disposer les bananes dans une assiette de service.
5. Verser le rhum dans le poêlon et brasser pour dissoudre les miettes de sucre caramélisé.
6. Flamber et verser sur les bananes.

Valeur nutritive comparée

Valeur nutritive par portion	Recette originale	Recette modifiée
Calories	356 calories	169 calories
Protéines	1,0 g	1,0 g
Lipides (gras)	12,5 g	3,0 g
Glucides (sucres)	61,0 g	30,0 g

Avantages de la recette modifiée

2 fois moins de calories.
4 fois moins de gras.
2 fois moins de sucre.

Dans un repas complet (menu suggéré)

	Calories
227 g (1 t.) de salade d'épinards et laitue et	15
1/2 c. à soupe de vinaigrette	30
227 g (1 t.) de chow mein au poulet	174
1 tranche de pain de blé entier	72
1 portion de bananes flambées, recette modifiée	169
TOTAL	460

Variantes: en utilisant le même mode de préparation, on peut faire des pêches flambées en employant du Kirsh au lieu du rhum.

Présentation et service: idéal pour une fête ou une occasion spéciale.

Utilisation de la recette modifiée si vous suivez une diète

Réduite en sodium (sel) (hypertension, rétention d'eau, cardiaques)	Réduite en cholestérol et/ou gras (maladies du coeur, foie, athérosclérose)	Calculée pour diabétiques (équivalences)
Permis	Permis en utilisant une margarine polyinsaturée	1 portion = 2 fruits + 1 gras

Conservation: se consomme immédiatement après la cuisson.

Préparation: utiliser des bananes pas trop mûres et éviter la surcuisson pour ne pas trop les amollir. Avantage: très rapide et très facile à préparer.

Pour personne seule

une portion individuelle

1 banane
1 c. à café de beurre ou de margarine
1 1/2 c. à café de sucre
1 c. à café de jus de citron
1 c. à soupe de rhum

Gelée tropicale

Ustensiles

Tasses et cuillères	1 petit couteau tranchant
à mesurer	1 bol à mélanger
1 ouvre-boîte	1 cuillère

Recette originale

1 paquet de 90 g (3 oz) de gélatine
aux fruits tropicaux 315
250 mL (1 t.) d'eau bouillante 0
1 bte de 420 g (14 oz) d'ananas coupé
en morceaux dans un sirop 341
1 pêche pelée, coupée en morceaux 35
Pincée de cannelle 0
1 c. à café de vanille 0

1. Dissoudre la gélatine dans l'eau bouillante.
2. Ajouter les ananas avec le sirop, ainsi que la pêche, la cannelle et la vanille.
3. Laisser prendre au froid.

Temps de préparation: 10 minutes
Rendement: 5 portions

Recette modifiée

---

1 enveloppe de gélatine neutre	*35*
250 mL (1 t.) de jus de pomme non sucré	*120*
1 bte de 420 g (14 oz) d'ananas en morceaux dans son jus	*175*
1 pêche pelée, coupée en morceaux	*35*
Pincée de cannelle	*0*
1 c. à café de vanille	*0*

---

1. Faire gonfler la gélatine dans le jus de pomme.
2. Dans une petite casserole, faire chauffer les ananas et les ajouter à la gélatine. Brasser pour dissoudre.
3. Ajouter la pêche, la cannelle et la vanille et laisser prendre au froid.

Valeur nutritive comparée

Valeur nutritive par portion	Recette originale	Recette modifiée
Calories	138 calories	73 calories
Protéines	5,0 g	2,0 g
Lipides (gras)	0,0 g	0,0 g
Glucides (sucres)	34,5 g	16,5 g

Avantages de la recette modifiée

2 fois moins de calories.
2 fois moins de sucre.

Dans un repas complet (menu suggéré)

	Calories
227 g (1 t.) de "pâté chinois"*	309
1 feuille de laitue et 2 tranches de tomates	17
1 portion de gelée tropicale, recette modifiée	73
TOTAL	399

Variantes: on peut remplacer le jus de pomme par du jus d'orange ou de pamplemousse ou par un mélange de jus de fruits. On peut utiliser d'autres fruits que ceux mentionnés dans la recette. Si l'on emploie des fruits mis en conserve dans un sirop, il faut remplacer ce sirop par un jus de fruits non sucré.

Présentation et service: on peut servir la gelée dans des coupes à dessert ou, pour démouler, dans un moule à aspic, dans de petits moules individuels ou dans un moule en couronne.

Variations saisonnières: utiliser les fruits de la saison.

---

* Pâté parmentier.

Utilisation de la recette modifiée si vous suivez une diète

Réduite en sodium (sel) (hypertension, rétention d'eau, cardiaques)	Réduite en cholestérol et/ou gras (maladies du coeur, foie, athérosclérose)	Calculée pour diabétiques (équivalences)
Permis	Permis	1 portion = 1 1/2 fruit

Conservation: un à trois jours au réfrigérateur, selon la sorte de fruits utilisés. Ne se congèle pas.

Préparation: si l'on emploie des morceaux de bananes, de pommes ou de poires fraîches, il faut les faire tremper 1 à 2 minutes dans le jus de citron pour les empêcher de noircir. Peut se préparer la veille. Si l'on emploie des morceaux d'ananas frais, il faut les faire bouillir 1 minute (et refroidir) avant de les ajouter à l'aspic, pour détruire l'enzyme responsable de la liquéfaction de la gélatine. Ce n'est pas nécessaire si l'on emploie de l'ananas en conserve, car il a déjà subi un traitement à la chaleur.

Pour personne seule: la demi-recette donne 2 bonnes portions ou 3 petites. Le reste de l'ananas broyé peut être mélangé avec du yogourt nature et aromatisé à la vanille.

Mousse à l'ananas

Ustensiles

1 casserole
1 bol à mélanger
1 ouvre-boîte
Tasses et cuillères
  à mesurer

1 mixette électrique
1 cuillère en bois
1 passoire
Coupes à dessert

Recette originale

114 g (1/2 t.) d'ananas broyé	*40*
2 c. à café de gélatine sans saveur	*24*
175 mL (3/4 t.) du sirop des ananas	*175*
250 mL (1 t.) de crème fouettée	*346*
57 g (1/4 t.) de sucre	*180*
2 c. à soupe d'eau froide	*0*
1 c. à soupe de jus de citron	*5*

---

1. Faire gonfler la gélatine dans l'eau froide 5 minutes.

2. Faire bouillir le sirop des ananas avec le sucre et ajouter à la gélatine. Brasser pour dissoudre.

3. Ajouter le jus de citron et laisser refroidir jusqu'à consistance de blanc d'oeuf non battu.

4. Fouetter au malaxeur jusqu'à l'obtention d'une mousse.

5. Incorporer la crème fouettée et les ananas.

6. Verser dans des coupes à dessert et laisser prendre au froid.

Temps de préparation: 30 minutes
Rendement: 4 portions

Recette modifiée

---

125 mL (1/2 t.) d'ananas broyé non sucré 40
2 c. à café de gélatine sans saveur 24
175 mL (3/4 t.) de jus d'ananas non sucré 101
250 mL (1 t.) de yogourt nature écrémé 100
Omettre le sucre 0
2 c. à soupe de jus de citron 5

---

1. Faire gonfler la gélatine dans l'eau froide 5 minutes.
2. Faire bouillir le jus d'ananas et l'ajouter à la gélatine. Brasser pour dissoudre.
3. Ajouter le jus de citron et laisser refroidir jusqu'à consistance de blanc d'oeuf non battu.
4. Fouetter au malaxeur jusqu'à l'obtention d'une mousse.
5. Incorporer le yogourt et les ananas.
6. Verser dans des coupes à dessert et laisser prendre au froid.

Valeur nutritive comparée

Valeur nutritive par portion	Recette originale	Recette modifiée
Calories	193 calories	68 calories
Protéines	2,5 g	5,0 g
Lipides (gras)	9,0 g	0,0 g
Glucides (sucres)	27,0 g	12,0 g

Avantages de la recette modifiée

3 fois moins de calories.
2 fois plus de protéines
9 fois moins de gras (aucun).
2 fois moins de sucre.

Dans un repas complet (menu suggéré)

	Calories
125 mL (1/2 t.) de crème d'asperges (au lait écrémé)	61
90 g (3 oz) de côtelettes de veau grillées	185
114 g (1/2 t.) de pommes de terre en purée (sans beurre)	65
114 g (1/2 t.) d'épinards cuits	20
1 portion de mousse à l'ananas, recette modifiée	68
TOTAL	399

Variantes: on peut remplacer l'ananas par des morceaux de pêches ou d'orange. Le jus de pomme, d'orange ou de pamplemousse peut être substitué au jus d'ananas.

Présentation et service: on peut étendre des biscuits Graham dans le fond d'un moule carré de 22 cm (9 po) avant d'y verser la préparation. On laisse prendre au froid et on coupe en carrés. On obtient ainsi des carrés chiffon à l'ananas. On peut également verser la préparation dans un moule à aspic ou dans un moule en couronne et servir démoulé. On décore ensuite avec des fruits.

Variations saisonnières: l'été, on peut utiliser des morceaux de melon d'eau, de cantaloup, de melon miel, de fraises tranchées, des morceaux de pêches fraîches ou de nectarines.

Utilisation de la recette modifiée si vous suivez une diète

Réduite en sodium (sel) (hypertension, rétention d'eau, cardiaques)	Réduite en cholestérol et/ou gras (maladies du coeur, foie, athérosclérose)	Calculée pour diabétiques (équivalences)
Permis	Permis	1 portion = 1 fruit + 1/2 lait écrémé

Conservation: se conserve au réfrigérateur 4 à 5 jours (vérifier la date d'échéance sur le contenant de yogourt commercial que vous avez utilisé). Le yogourt maison se conserve de 3 semaines à un mois au réfrigérateur.

Préparation: si l'on emploie de l'ananas frais, il faut faire bouillir l'ananas 1 à 2 minutes (et le faire refroidir) avant de l'ajouter à la gélatine. Ce problème n'existe pas avec l'ananas en conserve. Si la gélatine est trop prise au moment de fouetter, faites-la dissoudre au-dessus de l'eau chaude avant de la faire reprendre partiellement à nouveau. Peut se préparer la veille.

Autres remarques: dessert léger et rafraîchissant, toujours apprécié, même des personnes qui n'aiment pas le goût du yogourt nature, car c'est la saveur de l'ananas qui domine.

Pour personne seule: la demi-recette donne 2 portions.

Crème espagnole

Ustensiles

1 bain-marie
2 bols à mélanger
Tasses et cuillères
    à mesurer

1 petit bol
1 spatule en caoutchouc
Coupes à dessert
1 cuillère en bois

Recette originale

---

625 mL (2 1/2 t.) de lait entier chaud	*400*
170 g (3/4 t.) de sucre	*578*
3 oeufs, séparés	*240*
1 c. à soupe de gélatine neutre	*35*
1 c. à café de vanille	*0*
2 c. à soupe d'eau froide	*0*

---

1. Faire gonfler la gélatine dans l'eau froide.
2. Chauffer le lait dans un bain-marie avec le sucre, y incorporer lentement les jaunes d'oeufs battus. Brasser constamment sans laisser bouillir.
3. La crème est prête lorsqu'elle adhère à la cuillère de bois.
4. Retirer du feu. Ajouter à la gélatine.
5. Fouetter les blancs d'oeufs en neige et les ajouter au mélange de gélatine en pliant.
6. Ajouter la vanille.
7. Verser dans les coupes à dessert et réfrigérer.

Temps de préparation: 20-25 minutes
Rendement: 6 portions

Recette modifiée

---

625 mL (2 1/2 t.) de lait écrémé chaud	*225*
72 g (1/3 t.) de sucre	*257*
3 oeufs, séparés	*240*
1 c. à table de gélatine neutre	*35*
1 c. à café de vanille	*0*
2 c. à soupe d'eau froide	*0*

---

1. Faire gonfler la gélatine dans l'eau froide.
2. Chauffer le lait au bain-marie avec le sucre, y incorporer lentement les jaunes d'oeufs battus. Brasser constamment sans laisser bouillir.
3. La crème est prête lorsqu'elle adhère à la cuillère de bois.
4. Retirer du feu. Ajouter à la gélatine.
5. Fouetter les blancs d'oeufs en neige et les incorporer au mélange de gélatine en pliant.
6. Ajouter la vanille.
7. Verser dans les coupes à dessert et réfrigérer.

Valeur nutritive comparée

Valeur nutritive par portion	Recette originale	Recette modifiée
Calories	209 calories	126 calories
Protéines	8,0 g	8,0 g
Lipides (gras)	7,0 g	3,0 g
Glucides (sucres)	34,0 g	16,5 g

Avantages de la recette modifiée

Presque 2 fois moins de calories.
Autant de protéines.
2 fois moins de gras et de sucre.

Dans un repas complet (menu suggéré)

	Calories
125 mL (1/2 t.) de jus de tomate	23
sandwich au poulet:	
2 tranches de pain de blé entier	144
60 g (2 oz) de poulet cuit	77
1 c. à café de sauce à salade	22
1 feuille de laitue	5
1 portion de crème espagnole, recette modifiée	126
TOTAL	397

Variantes: pour une crème espagnole à l'orange, remplacer le 250 mL (1 t.) de lait par 250 mL (1 t.) de jus d'orange et ajouter 1 c. à café de zeste d'orange râpé. On peut incorporer des morceaux de fruits en même temps que la mousse de blanc d'oeuf.

Ingrédient facultatif: l'essence de vanille peut être remplacée par de l'essence de rhum ou d'érable.

Présentation et service: on peut décorer les coupes avec des fruits et du germe de blé. On peut aussi servir ce dessert dans des coupes à vin ou à parfait.

Variations saisonnières: décorer de fraises fraîches pendant l'été, ou de petits morceaux de pêches, de cantaloup ou de melon miel. L'hiver, on peut ajouter des fruits en conserve bien égouttés comme des morceaux de mandarines et de l'ananas broyé.

Utilisation de la recette modifiée si vous suivez une diète

Réduite en sodium (sel) (hypertension, rétention d'eau, cardiaques)	Réduite en cholestérol et/ou gras (maladies du coeur, foie, athérosclérose)	Calculée pour diabétiques (équivalences)
Permis	À éviter	1 portion = 1 fruit + 1/2 viande + 1 lait écrémé

Conservation: se conserve jusqu'à trois jours au réfrigérateur, selon que l'on utilise ou non des fruits, et suivant aussi la sorte de fruits utilisés. Ne se congèle pas.

Préparation: peut se préparer la veille.

Autre remarque: ce dessert contient beaucoup de calcium, il est recommandé particulièrement aux personnes qui consomment peu de produits laitiers.

Pour personne seule: avec le tiers de la recette, vous obtiendrez 2 portions.

Quantités pour le tiers de la recette:
175 mL (3/4 t.) de lait
1 c. à soupe de sucre
1 oeuf
1 c. à café de gélatine
1/4 c. à café de vanille
2 c. à café d'eau froide

BOISSONS

Lait fouetté aux bananes

Ustensiles
Tasses à mesurer
1 fourchette + 1 petit bol

1 mélangeur
2 verres de 250 mL (1 tasse)
1 spatule de caoutchouc

Recette originale

1 banane bien mûre écrasée *85*
250 mL (1 t.) de lait entier *160*
125 mL (1/2 t.) de crème glacée à la vanille *163*

1. Déposer tous les ingrédients dans la jarre du mélangeur et le faire fonctionner à grande vitesse durant quelques secondes.
2. Verser dans deux grands verres et servir aussitôt.

Temps de préparation: 5 minutes
Rendement: 2 portions de 250 mL (1 tasse)

Recette modifiée

---

1 banane bien mûre écrasée *85*
250 mL (1 t.) de lait écrémé très froid *90*
125 mL (1/2 t.) de yogourt à la vanille *105*

---

1. Déposer tous les ingrédients dans la jarre du mélangeur et le faire fonctionner à grande vitesse durant quelques secondes.
2. Verser dans deux grands verres et servir aussitôt.

Valeur nutritive comparée

Valeur nutritive par portion	Recette originale	Recette modifiée
Calories	204 calories	140 calories
Protéines	6,5 g	8,0 g
Lipides (gras)	9,5 g	1,0 g
Glucides (sucres)	30,5 g	26,5 g

Avantages de la recette modifiée

1 1/2 fois moins de calories.
9 1/2 fois moins de gras.
Un peu moins de sucre.
Un peu plus de protéines.

Dans un repas complet (menu suggéré)

	Calories
170 g (3/4 t.) de salade verte	11
et 1/2 c. à soupe de vinaigrette	30
1 sandwich grillé au fromage (au four)	
2 tranches de pain de blé entier	144
30 g (1 oz) de fromage écrémé	51
1 portion de lait fouetté aux bananes	140
TOTAL	376

Variantes: on peut remplacer la banane par 125 mL (1/2 tasse) de pêches, abricots, fraises ou framboises réduits en purée. On peut également employer du yogourt nature aromatisé à l'essence de vanille. Pour diminuer le coût, on peut employer du yogourt maison et du lait écrémé en poudre reconstitué.

Présentation et service: on peut servir dans des coupes à parfait.

Variations saisonnières: l'été, on peut employer des fraises et des framboises, et utiliser des bananes ou des fruits en conserve pendant l'hiver.

Utilisation de la recette modifiée si vous suivez une diète

Réduite en sodium (sel) (hypertension, rétention d'eau, cardiaques)	Réduite en cholestérol et/ou gras (maladies du coeur, foie, athérosclérose)	Calculée pour diabétiques (équivalences)
Permis	Permis	1 portion = 2 fruit + 1 1/2 lait écrémé

Conservation: ne pas préparer à l'avance. Boire immédiatement après la préparation.

Préparation: utiliser des ingrédients très froids.

Autres remarques: excellente source de calcium. Ne goûte pas le yogourt.

Pour personne seule: diviser la recette en deux pour une portion individuelle.

Punch aux fruits

Ustensiles

Tasses à mesurer
1 grand bol à punch
1 ouvre-boîte

1 décapsuleur
1 petit couteau
1 planche
24 verres ou tasses

Recette originale

625 mL (2 1/2 t.) de jus d'orange sucré 325
625 mL (2 1/2 t.) de jus d'ananas sucré.................................. 356
750 mL (3 t.) de jus de canneberge.................................... 480
125 mL (1/2 t.) de jus de citron 30
1 L (4 t.) de boisson gazeuse à saveur de fraises 400
1 L (4 t.) de cidre doux 380
Tranches d'orange (pour décorer) ....
Glaçons 0

1. Mélanger tous les ingrédients (refroidis au préalable) ensemble.
2. Décorer de tranches d'orange.
3. Servir aussitôt.

Temps de préparation: 10 minutes
Rendement: 30 portions de 125 mL (1/2 tasse)

Recette modifiée

---

625 mL (2 1/2 t.) de jus d'orange non sucré	*300*
625 mL (2 1/2 t.) de jus d'ananas non sucré	*337*
750 mL (3 t.) de jus de canneberge	*480*
125 mL (1/2 t.) de jus de citron	*30*
Omettre la boisson gazeuse	*0*
2 L (8 t.) d'eau minérale gazéifiée*	*0*
Tranches d'orange (pour décorer)	
Glaçons	*0*

---

1. Mélanger tous les ingrédients (refroidis au préalable) ensemble.
2. Décorer de tranches d'orange.
3. Servir aussitôt.

---

* *Eau minérale légère en sodium. Ex: Perrier, Contrexville, Vittel.*

Valeur nutritive comparée

Valeur nutritive par portion	Recette originale	Recette modifiée
Calories	66 calories	38 calories
Protéines	trace	trace
Lipides (gras)	trace	trace
Glucides (sucres)	14,0 g	9,0g

Avantages de la recette modifiée

Presque 2 fois moins de calories.
Un peu moins de sucre.

Dans un goûter (menu suggéré)

	Calories
1 portion de punch aux fruits, recette modifiée	38
Crudités: bâtonnets de céleri, concombres, radis	14
2 toasts Melba	30
30 g (1 oz) de fromage écrémé	51
Café ou thé sans sucre et 2 c. à soupe de lait écrémé	11
TOTAL	144

Variante: d'autres jus de fruits peuvent être utilisés: pomme, pamplemousse, raisin blanc.

Présentation et service: on peut utiliser de grosses fraises congelées au lieu de glaçons. On peut également remplacer les tranches d'orange par de minces tranches de lime ou de citron. Se sert bien lors d'une réception.

Utilisation de la recette modifiée si vous suivez une diète

Réduite en sodium (sel) (hypertension, rétention d'eau, cardiaques)	Réduite en cholestérol et/ou gras (maladies du coeur, foie, athérosclérose)	Calculée pour diabétiques (équivalences)
Permis si l'on utilise une eau minérale basse en sodium	Permis	1 portion = 1 fruit

Conservation: consommer immédiatement. S'il reste du punch, on peut toujours l'utiliser, mais il aura perdu son effervescence. La meilleure solution serait de le congeler dans des plateaux à glaçons pour en faire des sucettes glacées.

Préparation: on peut mélanger les jus de fruits à l'avance, mais on doit ajouter l'eau minérale à la dernière minute pour conserver l'effervescence.

Pour personne seule: à faire seulement si vous recevez.

Jus de fruits "pétillant"

Ustensiles

4 pots à jus
Verres à jus
Tasses à mesurer

1 ouvre-boîte
1 décapsuleur

Boissons à teneur élevée en sucres

250 mL (1 t.) de boisson à saveur d'orange 135
250 mL (1 t.) de nectar de fruits 135
250 mL (1 t.) de cidre mousseux 95
250 mL (1 t.) de boisson gazeuse type cola 95
250 mL (1 t.) de boisson gazeuse type Seven Up 100

Temps de préparation: 5 minutes
Rendement: 1 portion de 250 mL (1 t.) pour chaque sorte de jus.

Jus de fruits pétillant

125 mL (1/2 t.) de jus d'orange non sucré *60*
125 mL (1/2 t.) d'eau minérale gazéifiée* *0*

125 mL (1/2 t.) de jus d'ananas non sucré *65*
125 mL (1/2 t.) d'eau minérale gazéifiée* *0*

125 mL (1/2 t.) de jus de pomme non sucré *60*
125 mL (1/2 t.) d'eau minérale gazéifiée* *0*

125 mL (1/2 t.) de jus de raisin non sucré *65*
125 mL (1/2 t.) d'eau minérale gazéifiée* *0*

125 mL (1/2 t.) de jus de pamplemousse non sucré *50*
125 mL (1/2 t.) d'eau minérale gazéifiée* *0*

---

* *Eau minérale légère en sodium. Ex.: Perrier, Vittel, Contrexville.*

Valeur nutritive comparée

Valeur nutritive par portion	Boissons sucrées	Recette modifiée
Calories	95 à 135 calories	50 à 65 calories
Protéines	0,0 g	0,0 g
Lipides (gras)	0,0 g	0,0 g
Glucides (sucres)	24,0 à 35,0 g	12,0 à 17,0 g

Avantages de la recette modifiée

2 fois moins de calories.
2 fois moins de sucre.

Dans un goûter (menu suggéré)

	Calories
125 mL (1/2 t.) de jus de fruits pétillant, recette modifiée	50 à 65
2 brochettes de fruits (5 à 10 calories chacune)	10 à 20
5 noix assorties	40
TOTAL	100 à 125

Variante: un mélange de jus de fruits peut être utilisé.

Présentation et service: le jus de fruits pétillant peut être ajouté comme liquide à une salade de fruits frais, c'est délicieux.

Utilisation de la recette modifiée si vous suivez une diète

Réduite en sodium (sel) (hypertension, rétention d'eau, cardiaques)	Réduite en cholestérol et/ou gras (maladies du coeur, foie, athérosclérose)	Calculée pour diabétiques (équivalences)
Permis si l'on utilise une eau minérale basse en sodium	Permis	1 portion = 1 1/2 fruits

Conservation: préparer seulement la quantité nécessaire à vos besoins. S'il en reste, congeler dans des plateaux à glaçons. Ces glaçons rafraîchiront vos boissons et jus de fruits sans trop les diluer.

Préparation: ne pas préparer à l'avance, pour conserver l'effervescence de l'eau minérale.

Pour personne seule: la recette donne 1 portion.

Conclusion

Maintenant que vous avez acquis un peu d'expérience dans la modification des recettes, je vous encourage fortement à continuer de le faire avec la plupart de vos recettes. Vous économiserez des calories, de l'argent (le sucre et le gras sont quand même assez dispendieux) et vous préviendrez par le fait même l'obésité, la carie dentaire, les maladies cardiovasculaires, le diabète, etc. J'espère que les "p'tits becs sucrés" ont été rassurés en constatant que l'on peut déguster de bons desserts "sucrés sans sucre"!

Si vous voulez constater l'amélioration de vos connaissances en matière de modification de recettes, vous pouvez refaire le test du début du livre et comparer les deux résultats. Vous réaliserez que vous avez appris beaucoup de choses à la lecture de ce volume et encore plus par l'expérimentation des recettes.

Bibliographie

Agriculture Canada, *La nutrition à bon prix*, Santé et Bien-Être Social Canada, publication 1651, Ottawa 1980.

Agriculture Handbook No. 8, *Composition of Foods, Raw, Processed and Prepared*, USDA, 1963.

Brault-Dubuc, M., et Caron-Lahaie, L., *Valeur nutritive des aliments*, Centre de recherches sur la croissance humaine, Département de nutrition, Université de Montréal, 1978.

Commission régionale Pascal-Taché et Denyse Hunter, *Programme de cours "Maigrir en Santé"*, 1980.

Corporation professionnelle des diététistes du Québec, *Manuel de régimes alimentaires*, Fides, 1977.

Hazell Bennel, *Art culinaire*, Département de nutrition, Université de Montréal.

Bezabek, K., *Nutritive Value of Convenience Foods*, West Suburban Dietetic Association, 1979.

Santé et Bien-Être Social Canada, *Standards de nutrition au Canada*, Ottawa, 1975.

Santé et Bien-Être Social Canada, *Valeur nutritive de quelques aliments usuels*, Édition revisée, 1979.

Table des matières

Remerciements   7
Introduction   9
Présentation des recettes   11
Test: Savez-vous modifier vos recettes?   13
Réponses au questionnaire   15

Soupes
    Potage parmentier   22
    Crème de champignons   24

Mets d'accompagnements
    Sauce aux champignons   30
    Riz à l'espagnole   34
    Nouilles à la créole   38
    Tomates farcies   42
    Sauce à salade   46
    Chou-fleur gratiné   50
    Trempette au fromage   54
    Pommes de terre et oignons au gratin   58

Mets principaux
    Foies de poulet aux champignons   64
    Escalopes de veau en crème   68
    Jambon et oeufs en casserole   72
    Casserole de poulet au brocoli   76
    Tarte au maïs   80
    Coquilles Saint-Jacques aux crevettes   84
    Macaroni au fromage   88
    Quiche Lorraine   92

Pizza   96
Boeuf Strogonoff   100
Pain au saumon   104
Poulet au paprika   108
Courgettes farcies (Zucchinis)   112
Pâté au saumon   116

Salades et aspics
Salade au thon et au fromage   122
Salade de macaroni et poulet   126
Pain de dinde   130
Saumon en gelée   134
Pâté de foie   138
Mousse au poulet   142

Produits de boulangerie
Renversé à l'ananas   148
Muffins au fromage   152
Biscuits à la farine d'avoine   156
Muffins au germe de blé   160
Pain à l'orange   164
Croustade de pommes   168
Tarte jardinière   172

Desserts légers
Délice aux mandarines   178
Bavarois aux framboises   182
Pouding au riz   186
Bavarois à l'ananas   190
Blanc-manger à l'érable   194
Tapioca aux pêches   198
Bananes flambées   202
Gelée tropicale   206
Mousse à l'ananas   210
Crème espagnole   214

Boissons

Lait fouettée aux bananes   220
Punch aux fruits   224
Jus de fruits pétillant   228

Conclusion   233
Bibliographie   235

Ouvrages parus chez les éditeurs du groupe Sogides

* Pour l'Amérique du Nord seulement
** Pour l'Europe seulement
Sans * pour l'Europe et l'Amérique du Nord

LES EDITIONS DE L'HOMME

ANIMAUX

* **Art du dressage, L',** Chartier Gilles
Bien nourrir son chat, D'Orangeville Christianz
Cheval, Le, Leblanc Michel
Chien dans votre vie, Le, Swan Marguerite
Éducation du chien de 0 à 6 mois, L', DeBuyser Dr Colette et Dr Dehasse Joël
Encyclopédie des oiseaux, Godfrey W. Earl
Guide de l'oiseau de compagnie, Le, Dr R. Dean Axelson
Mammifère de mon pays,, Duchesnay St-Denis J. et Dumais Rolland
* **Mon chat, le soigner, le guérir,** D'Orangeville Christian
Observations sur les mammifères, Provencher Paul
Papillons du Québec, Les,Veilleux Christian et PrévostBernard
Petite ferme, T.1,
Les animaux, Trait Jean-Claude

Vous et vos petits rongeurs, Eylat Martin
Vous et vos poissons d'aquarium, Ganiel Sonia
Vous et votre berger allemand, Eylat Martin
Vous et votre boxer, Herriot Sylvain
Vous et votre caniche, Shira Sav
Vous et votre chat de gouttière, Gadi Sol
Vous et votre chow-chow, Pierre Boistel
Vous et votre collie, Ethier Léon
Vous et votre doberman, Denis Paula
Vous et votre fox-terrier, Eylat Martin
Vous et votre husky, Eylat Marti
Vous et vos oiseaux de compagnie, Huard-Viau Jacqueline
Vous et votre schnauzer, Eylat Martin
Vous et votre setter anglais, Eylat Martin
Vous et votre siamois, Eylat Odette
Vous et votre teckel, Boistel Pierre
Vous et votre yorkshire, Larochelle Sandra

ARTISANAT/ARTS MÉNAGER

Appareils électro-ménagers, Prentice-Hall du Canada
* **Art du pliage du papier,** Harbin Robert
Artisanat québécois, T.1, Simard Cyril

Artisanat québécois, T.2, Simard Cyril
Artisanat québécois, T.3, Simard Cyril
Artisanat québécois, T.4, Simard Cyril, Bouchard Jean-Louis

1

Bon Fignolage, Le, Arvisais Dolorès A.
Coffret artisanat, Simard Cyril
* Construire des cabanes d'oiseaux, Dion André
Construire sa maison en bois rustique, Mann D.
   et Skinulis R.
Crochet Jacquard, Le, Thérien Brigitte
Cuir, Le, Saint-Hilaire Louis et Vogt Walter
Dentelle, T.1, La, De Seve Andrée-Anne
Dentelle, T.2, La, De Seve Andrée-Anne
Dessiner et aménager son terrain, Prentice-Hall du Canada
Encyclopédie de la maison québécoise, Lessard Michel
Encyclopédie des antiquités, Lessard Michel
Entretien et réparation de la maison, Prentice-Hall du
   Canada

Guide du chauffage au bois, Flager Gordon
J'apprends à dessiner, Nassh Joanna
Je décore avec des fleurs, Bassili Mimi
J'isole mieux, Eakes Jon
Mécanique de mon auto, La, Time-Life
Outils manuels, Les, Prentice Hall du Canada
Petits appareils électriques, Prentice-Hall du Canada
Piscines, Barbecues et patio
Taxidermie, La, Labrie Jean
Terre cuite, Fortier Robert
Tissage, Le, Grisé-Allard Jeanne et Galarneau Germaine
Tout sur le macramé, Harvey Virginia L.
Trucs ménagers, Godin Lucille
Vitrail, Le, Bettinger Claude

ART CULINAIRE

À table avec soeur Angèle, Soeur Angèle
Art d'apprêter les restes, L', Lapointe Suzanne
Art de la cuisine chinoise, L', Chan Stella
Art de la table, L', Du Coffre Marguerite
Barbecue, Le, Dard Patrice
Bien manger à bon compte, Gauvin Jocelyne
Boîte à lunch, La, Lambert Lagacé Louise
Brunches & petits déjeuners en fête, Bergeron Yolande
100 recettes de pain faciles à réaliser, Saint-Pierre
   Angéline
Cheddar, Le, Clubb Angela
Cocktails & punchs au vin, Poister John
Cocktails de Jacques Normand, Normand Jacques
Coffret la cuisine
Confitures, Les, Godard Misette
Congélation de A à Z, La, Hood Joan
Congélation des aliments, Lapointe Suzanne
Conserves, Les, Sansregret Berthe
Cornichons, Ketchups et Marinades, Chesman Andrea
Cuisine au wok, Solomon Charmaine
Cuisine aux micro-ondes 1 et 2 portions, Marchand
   Marie-Paul
Cuisine chinoise, La, Gervais Lizette
* Cuisine chinoise traditionnelle, La, Chen Jean
* Cuisine créative Campbell, La, Cie Campbell
Cuisine de Pol Martin, Martin Pol
* Cuisine du monde entier avec Weight Watchers,
   Weight Watchers
Cuisine facile aux micro-ondes, Saint-Amour Pauline
Cuisine joyeuse de soeur Angèle, La, Soeur Angèle
Cuisine micro-ondes, La, Benoît Jehane
Cuisine santé pour les aînés, Hunter Denyse

Cuisiner avec le four à convection, Benoît Jehane
Cuisinez selon le régime Scarsdale, Corlin Judith
Cuisinier chasseur, Le, Hugueney Gérard
Entrées chaudes et froides, Dard Patrice
Faire son pain soi-même, Murray Gill Janice
Faire son vin soi-même, Beaucage André
Fine cuisine aux micro-ondes, La, Dard Patrice
Fondues & flambées de maman Lapointe, Lapointe
   Suzanne
Fondues, Les, Dard Partice
Menus pour recevoir, Letellier Julien
Muffins, Les, Clubb Angela
Nouvelle cuisine micro-ondes, La, Marchand Marie-Paul et
   Grenier Nicole
Nouvelle cuisine micro-ondes II, La, Marchand
   Marie-Paul et Grenier Nicole
Pâtés à toutes les sauces, Les, Lapointe Lucette
Patés et galantines, Dard Patrice
Pâtisserie, La, Bellot Maurice-Marie
Poissons et fruits de mer, Dard Patrice
Poissons et fruits de mer, Sansregret Berthe
Recettes au blender, Huot Juliette
Recettes canadiennes de Laura Secord, Canadian Home
   Economics Association
Recettes de gibier, Lapointe Suzanne
Recettes de maman Lapointe, Les, Lapointe Suzanne
Recettes Molson, Beaulieu Marcel
Robot culinaire, le, Martin Pol
Salades des 4 saisons et leurs
vinaigrettes, Dard Patrice
Salades, sandwichs, hors d'oeuvre, Martin Pol
Soupes, potages et veloutés, Dard Patrice

BIOGRAPHIES POPULAIRES

Daniel Johnson, T.1, Godin Pierre
Daniel Johnson, T.2, Godin Pierre
Daniel Johnson - Coffret, Godin Pierre
Dans la fosse aux lions, Chrétien Jean
* **Dans la tempête,** Lachance Micheline
Duplessis, T.1 - L'ascension, Black Conrad
Duplessis, T.2 - Le pouvoir, Black Conrad
Duplessis - Coffret, Black Conrad
Dynastie des Bronfman, La, Newman Peter C.

Establishment canadien, L', Newman Peter C.
* **Maître de l'orchestre, Le,** Nicholson Georges
Maurice Richard, Pellerin Jean
Mulroney, Macdonald L.I.
Nouveaux Riches, Les, Newman Peter C.
Prince de l'Église, Le, Lachance Micheline
Saga des Molson, La, Woods Shirley
* **Une femme au sommet - Son excellence Jeanne Sauvé,** Woods Shirley E.

DIÉTÉTIQUE

Combler ses besoins en calcium, Hunter Denyse
* **Contrôlez votre poids,** Ostiguy Dr Jean-Paul
* **Cuisine sage,** Lambert-Lagacé Louise
* **Diète rotation, La,** Katahn Dr Martin
Diététique dans la vie quotidienne, Lambert-Lagacé Louise
Livre des vitamines, Le, Mervyn Leonard
* **Maigrir en santé,** Hunter Denyse
* **Menu de santé,** Lambert-Lagacé Louise
Oubliez vos allergies, et… bon appétit, Association de l'information sur les allergies

Petite & grande cuisine végétarienne, Bédard Manon
* **Plan d'attaque Weight Watchers, Le,** Nidetch Jean
* **Plan d'attaque plus Weight Watchers, Le,** Nidetch Jean
Recettes pour aider à maigrir, Ostiguy Dr Jean-Paul
* **Régimes pour maigrir,** Beaudoin Marie-Josée
Sage bouffe de 2 à 6 ans, La, Lambert-Lagacé Louise
Weight Watchers - cuisine rapide et savoureuse, Weight Watchers
Weight Watchers-Agenda 85 -Français, Weight Watchers
Weight Watchers-Agenda 85 -Anglais, Weight Watchers

DIVERS

* **Acheter ou vendre sa maison,** Brisebois Lucille
* **Acheter et vendre sa maison ou son condominium,** Brisebois Lucille
* **Acheter une franchise,** Levasseur Pierre
* **Bourse, La,** Brown Mark
* **Chaînes stéréophoniques, Les,** Poirier Gilles
* **Choix de carrières, T.1,** Milot Guy
* **Choix de carrières, T.2,** Milot Guy
* **Choix de carrières, T.3,** Milot Guy
* **Comment rédiger son curriculum vitae,** Brazeau Julie
* **Comprendre le marketing,** Levasseur Pierre
Conseils aux inventeurs, Robic Raymond
* **Devenir exportateur,** Levasseur Pierre
* **Dictionnaire économique et financier,** Lafond Eugène
* **Faire son testament soi-même,** Me Poirier Gérald, Lescault Nadeau Martine (notaire)
* **Faites fructifier votre argent,** Zimmer Henri B.
Finances, Les, Hutzler Laurie H.
* **Gérer ses ressources humaines,** Levasseur Pierre
* **Gestionnaire, Le,** Colwell Marian
* **Guide de la haute-fidélité, Le,** Prin Michel
* **Je cherche un emploi,** Brazeau Julie
* **Lancer son entreprise,** Levasseur Pierre
Leadership, Le, Cribbin, James J.

Livre de l'étiquette, Le, Du Coffre Marguerite
* **Loi et vos droits, La,** Marchand Me Paul-Émile
Meeting, Le, Holland Gary
Mémo, Le, Reimold Cheryl
Notre mariage (étiquette et planification), Du Coffre, Marguerite
Patron, Le, Reimold Cheryl
Relations publiques, Les, Doin Richard, Lamarre Daniel
* **Règles d'or de la vente, Les,** Kahn George N.
* **Roulez sans vous faire rouler, T.3,** Edmonston Philippe
Savoir vivre aujourd'hui, Fortin Jacques Marcelle
Séjour dans les auberges du Québec, Cazelais Normand et Coulon Jacques
Stratégies de placements, Nadeau Nicole
Temps des fêtes au Québec, Le, Montpetit Raymond
Tenir maison, Gaudet-Smet Françoise
* **Tout ce que vous devez savoir sur le condominium,** Dubois Robert
Univers de l'astronomie, L', Tocquet Robert
Vente, La, Hopkins Tom
* **Votre argent,** Dubois Robert
Votre système vidéo, Boisvert Michel et Lafrance André A.
* **Week-end à New York,** Tavernier-Cartier Lise

ENFANCE

* **Aider son enfant en maternelle,** Pedneault-Pontbriand Louise
* **Aider votre enfant à lire et à écrire,** Doyon-Richard Louise
Alimentation futures mamans, Gougeon Réjeanne et Sekely Trude
Années clés de mon enfant, Les, Caplan Frank et Theresa
Art de l'allaitement maternel, L', Ligue internationale La Leche
* **Autorité des parents dans la famille,** Rosemond John K.
Avoir des enfants après 35 ans, Robert Isabelle
Bientôt maman, Whalley J., Simkin P. et Keppler A.
Comment amuser nos enfants, Stanké Louis
* **Comment nourrir son enfant,** Lambert-Lagacé Louise
Deuxième année de mon enfant, La, Caplan Frank et Theresa
* **Développement psychomoteur du bébé,** Calvet Didier
Douze premiers mois de mon enfant, Les, Caplan Frank
* **En attendant notre enfant,** Pratte-Marchessault Yvette
* **Encyclopédie de la santé de l'enfant** Feinbloom Richard
Enfant stressé, L', Elkind David
Enfant unique, L', Peck Ellen
Évoluer avec ses enfants, Gagné Pierre Paul
Femme enceinte, La, Bradley Robert A.
Fille ou garçon, Langendoen Sally et Proctor William
* **Frères-soeurs,** Mcdermott Dr. John F. Jr.

Futur Père, Pratte-Marchessault Yvette
Jouons avec les lettres, Doyon-Richard Louise
Langage de votre enfant, Le, Langevin Claude
Maman et son nouveau-né, La, Sekely Trude
Manuel Johnson et Johnson des premiers soins, Le, Dr Rosenberg Stephen N.
Massage des bébés, Le, Auckette Amédia D.
Merveilleuse histoire de la naissance, La, Gendron Dr Lionel
Mon enfant naîtra-t-il en bonne santé? Scher Jonathan et Dix Carol
Pour bébé, le sein ou le biberon? Pratte-Marchessault Yvette
Pour vous future maman, Sekely Trude
Préparez votre enfant à l'école, Doyon-Richard Louise
Psychologie de l'enfant, Cholette-Pérusse Françoise
Respirations et positions d'accouchement, Dussault Joanne
Soins de la première année de bébé, Kelly Paula
Tout se joue avant la maternelle, Ibuka Masaru
Un enfant naît dans la chambre de naissance, Fortin Nolin Louise
Viens jouer, Villeneuve Michel José
Vivez sereinement votre maternité, Vellay Dr Pierre
Vivre une grossesse sans risque, Fried Dr Peter A.

ÉSOTÉRISME

Coffret - Passé - Présent - Avenir
Graphologie, La, Santoy Claude
Hypnotisme, L', Manolesco Jean
Lire dans les lignes de la main, Morin Michel

Prévisions astrologiques 1985, Hirsig Huguette
Vos rêves sont des miroirs, Cayla Henri
* **Votre avenir par les cartes,** Stanké Louis

HISTOIRE

Arrivants, Les, Collectif

* **Civilisation chinoise, La,** Guay Michel

INFORMATIQUE

* **Découvrir son ordinateur personnel,** Faguy François

Guide d'achat des micro-ordinateurs, Le, Blanc Pierre
Informatique, L', Cone E. Paul

PHOTOGRAPHIE (ÉQUIPEMENT ET TECHNIQUE)

* **Apprenez la photographie avec Antoine Desilets,** Desilets Antoine
  Chasse photographique, Coiteux Louis
  8/Super 8/16, Lafrance André
  Initiation à la Photographie, London Barbara
  Initiation à la Photographie-Canon, London Barbara
  Initiation à la Photographie-Minolta, London Barbara
  Initiation à la Photographie-Nikon, London Barbara

  Initiation à la Photographie-Olympus, London Barbara
  Initiation à la Photographie-Pentax, London Barbara
* **Je développe mes photos,** Desilets Antoine
* **Je prends des photos,** Desilets Antoine
* **Photo à la portée de tous,** Desilets Antoine
  Photo guide, Desilets Antoine

PSYCHOLOGIE

Âge démasqué, L', De Ravinel Hubert
* **Aider mon patron à m'aider,** Houde Eugène
  Amour de l'exigence à la préférence, Auger Lucien
  Au-delà de l'intelligence humaine, Pouliot Élise
  Auto-développement, L', Garneau Jean
  Bonheur au travail, Le, Houde Eugène
  Bonheur possible, Le, Blondin Robert
  Chimie de l'amour, La, Liebowitz Michael
  Coeur à l'ouvrage, Le, Lefebvre Gérald
  Coffret psychologie moderne Colère, La, Tavris Carol
* **Comment animer un groupe,** Office Catéchèsse
* **Comment avoir des enfants heureux,** Azerrad Jacob
* **Comment déborder d'énergie,** Simard Jean-Paul
  Comment vaincre la gêne, Catta Rene-Salvator
* **Communication dans le couple, La,** Granger Luc
* **Communication et épanouissement personnel,** Auger Lucien
  Comprendre la névrose et aider les névrosés, Ellis Albert
* **Contact,** Zunin Nathalie
* **Courage de vivre, Le,** Kiev Docteur A.
  Courage et discipline au travail, Houde Eugène
  Dynamique des groupes, Aubry J.-M. et Saint-Arnaud Y.
  Élever des enfants sans perdre la boule, Auger Lucien
  Émotivité et efficacité au travail, Houde Eugène
  Enfant paraît... et le couple demeure, L', Dorman Marsha et Klein Diane
  Enfants de l'autre, Les, Paris Erna
* **Être soi-même,** Corkille Briggs D.
* **Facteur chance, Le,** Gunther Max
  Fantasmes créateurs, Les, Singer Jérôme
* **Infidélité, L',** Leigh Wendy
  Intuition, L', Goldberg Philip
* **J'aime,** Saint-Arnaud Yves
  Journal intime intensif, Progoff Ira
  Miracle de l'amour, Un, Kaufman Barry Neil

* **Mise en forme psychologique,** Corrière Richard
* **Parle-moi... J'ai des choses à te dire,** Salome Jacques
  Penser heureux, Auger Lucien
* **Personne humaine, La,** Saint-Arnaud Yves
* **Plaisirs du stress, Les,** Hanson Dr Peter G.
* **Première impression, La,** Kleinke Chris, L.
  Prévenir et surmonter la déprime, Auger Lucien
  Prévoir les belles années de la retraite, D. Gordon Michael
* **Psychologie dans la vie quotidienne,** Blank Dr Léonard
* **Psychologie de l'amour romantique,** Braden Docteur N.
* **Qui es-tu grand-mère? Et toi grand-père?** Eylat Odette
* **S'affirmer et communiquer,** Beaudry Madeleine
* **S'aider soi-même,** Auger Lucien
* **S'aider soi-même d'avantage,** Auger Lucien
* **S'aimer pour la vie,** Wanderer Dr Zev
* **Savoir organiser, savoir décider,** Lefebvre Gérald
* **Savoir relaxer et combattre le stress,** Jacobson Dr Edmund
* **Se changer,** Mahoney Michael
* **Se comprendre soi-même par des tests,** Collectif
* **Se concentrer pour être heureux,** Simard Jean-Paul
  Se connaître soi-même, Artaud Gérard
* **Se contrôler par le biofeedback,** Ligonde Paultre
  Se créer par la Gestalt, Zinker Joseph
* **S'entraider,** Limoges Jacques
* **Se guérir de la sottise,** Auger Lucien
  Séparation du couple, La, Weiss Robert S.
  Sexualité au bureau, La, Horn Patrice
  Syndrome prémenstruel, Le, Shreeve Dr Caroline
* **Vaincre ses peurs,** Auger Lucien
  Vivre à deux: plaisir ou cauchemar, Duval Jean-Marie
* **Vivre avec sa tête ou avec son coeur,** Auger Lucien
  Vivre c'est vendre, Chaput Jean-Marc
* **Vivre jeune,** Waldo Myra
* **Vouloir c'est pouvoir,** Hull Raymond

JARDINAGE

Culture des fleurs, des fruits, Prentice-Hall du Canada
Encyclopédie du jardinier, Perron W.H.
Guide complet du jardinage, Wilson Charles
J'aime les violettes africaines, Davidson Robert

Petite ferme, T. 2 - Jardin potager, Trait Jean-Claude
Plantes d'intérieur, Les, Pouliot Paul
Techniques du jardinage, Les, Pouliot Paul
*   Terrariums, Les, Kayatta Ken

JEUX/DIVERTISSEMENTS

Améliorons notre bridge, Durand Charles
*   Bridge, Le, Beaulieu Viviane
Clés du scrabble, Les, Sigal Pierre A.
Collectionner les timbres, Taschereau Yves
*   Dictionnaire des mots croisés, noms communs, Lasnier Paul
*   Dictionnaire des mots croisés, noms propres, Piquette Robert

*   Dictionnaire raisonné des mots croisés, Charron Jacqueline
Finales aux échecs, Les, Santoy Claude
Jeux de société, Stanké Louis
*   Jouons ensemble, Provost Pierre
Livre des patiences, Le, Bezanovska M. et Kitchevats P.
*   Ouverture aux échecs, Coudari Camille
Scrabble, Le, Gallez Daniel
Techniques du billard, Morin Pierre

LINGUISTIQUE

*   Anglais par la méthode choc, L', Morgan Jean-Louis
*   J'apprends l'anglais, Silicani Gino

Petit dictionnaire du joual, Turenne Auguste
Secrétaire bilingue, La, Lebel Wilfrid

LIVRES PRATIQUES

Bonnes idées de maman Lapointe, Les, Lapointe Lucette *
Chasse-taches, Le, Cassimatis Jack
*   Maîtriser son doigté sur un clavier, Lemire Jean-Paul

Se protéger contre le vol, Kabundi Marcel et Normandeau André
Temps c'est de l'argent, Le, Davenport Rita

MUSIQUE ET CINÉMA

*   Guitare, La, Collins Peter
Piano sans professeur, Le, Evans Roger

Wolfgang Amadeus Mozart raconté en 50 chefs-d'oeuvre, Roussel Paul

NOTRE TRADITION

Coffret notre tradition Écoles de rang au Québec, Les, Dorion Jacques
Encyclopédie du Québec, T.1, Landry Louis
Encyclopédie du Québec, T.2, Landry Louis
Histoire de la chanson québécoise, L'Herbier Benoît
Maison traditionnelle, La, Lessard Micheline

Moulins à eau de la vallée du Saint-Laurent, Adam Villeneuve
Objets familiers de nos ancêtres, Genet Nicole
*   Sculpture ancienne au Québec, La, Porter John R. et Bélisle Jean
Vive la compagnie, Daigneault Pierre

ROMANS/ESSAIS

Adieu Québec, Bruneau André
Baie d'Hudson, La, Newman Peter C.
Bien-pensants, Les, Berton Pierre
Bousille et les justes, Gélinas Gratien
Coffret Joey
C.P., Susan Goldenberg
Commettants de Caridad, Les, Thériault Yves
Deux Innocents en Chine Rouge, Hébert Jacques
Dome, Jim Lyon
* Frères divorcés, Les, Godin Pierre
IBM, Sobel Robert
Insolences du Frère Untel, Les, Untel Frère
ITT, Sobel Robert
J'parle tout seul, Coderre Emile

Lamia, Thyraud de Vosjoli P.L.
Mensonge amoureux, Le, Blondin Robert
Nadia, Aubin Benoît
Oui, Lévesque René
Premiers sur la lune, Armstrong Neil
* Sur les ailes du temps (Air
Canada), Smith Philip
Telle est ma position, Mulroney Brian
Terrosisme québécois, Le, Morf Gustave
* Trois semaines dans le hall du Sénat, Hébert Jacques
Un doux équilibre, King Annabelle
* Un second souffle, Hébert Diane
Vrai visage de Duplessis, Le, Laporte Pierre

SANTÉ ET ESTHÉTIQUE

Allergies, Les, Delorme Dr Pierre
* Art de se maquiller, L', Moizé Alain
* Bien vivre sa ménopause, Gendron Dr Lionel
Cellulite, La, Ostiguy Dr Jean-Paul
Cellulite, La, Léonard Dr Gérard J.
Être belle pour la vie, Meredith Bronwen
Exercices pour les aînés, Godfrey Dr Charles, Feldman
    Michael
Face lifting par l'exercice, Le, Runge Senta Maria
Grandir en 100 exercises, Berthelet Pierre
Hystérectomie, L', Alix Suzanne
Médecine esthétique, La, Lanctot Guylaine
Obésité et cellulite, enfin la solution, Léonard
    Dr Gérard J.
Perdre son ventre en 30 jours H-F, Burstein Nancy et
    Matthews Roy
Santé, un capital à préserver, Peeters E.G.

Travailler devant un écran, Feeley Dr Helen
Coffret 30 jours
30 jours pour avoir de beaux
cheveux, Davis Julie
30 jours pour avoir de beaux
ongles, Bozic Patricia
30 jours pour avoir de beaux seins, Larkin Régina
30 jours pour avoir un beau teint, Zizmor Dr Jonathan
30 jours pour cesser de fumer, Holland Gary et Weiss Herman
30 jours pour mieux organiser, Holland Gary
30 jours pour perdre son ventre (homme), Matthews Roy,
    Burnstein Nancy
30 jours pour redevenir un
couple amoureux, Nida Patricia K. et Cooney Kevin
30 jours pour un plus grand épanouissement sexuel,
    Schneider Alan et Laiken Deidre
* Vos yeux, Chartrand Marie et Lepage-Durand Micheline

SEXOLOGIE

Adolescente veut savoir, L', Gendron Lionel
Fais voir, Fleischhaner H.
Guide illustré du plaisir sexuel, Corey Dr Robert E.
Helg, Bender Erich F.
* Ma sexualité de 0 à 6 ans, Robert Jocelyne
* Ma sexualité de 6 à 9 ans, Robert Jocelyne
* Ma sexualité de 9 à 12 ans, Robert Jocelyne

Plaisir partagé, Le, Gary-Bishop Hélène
* Première expérience sexuelle, La, Gendron Lionel
* Sexe au féminin, Le, Kerr Carmen
* Sexualité du jeune adolescent, Gendron Lionel
* Sexualité dynamique, La, Lefort Dr Paul
* Shiatsu et sensualité, Rioux Yuki

100 trucs de billard, Morin Pierre
Le programme pour être en forme
Apprenez à patiner, Marcotte Gaston
Arc et la chasse, L', Guardon Greg
* Armes de chasse, Les, Petit Martinon Charles
* Badminton, Le, Corbeil Jean
* Canadiens de 1910 à nos jours, Les, Turowetz Allan et Goyens Chrystian
* Carte et boussole, Kjellstrom Bjorn
* Chasse au petit gibier, La, Paquet Yvon-Louis
Chasse et gibier du Québec, Bergeron Raymond
Chasseurs sachez chasser, Lapierre Lucie
* Comment se sortir du trou au golf, Brien Luc
* Comment vivre dans la nature, Rivière Bill
* Corrigez vos défauts au golf, Bergeron Yves
Curling, Le, Lukowich E.
Devenir gardien de but au hockey, Allair François
Encyclopédie de la chasse au Québec, Leiffet Bernard
Entraînement, poids-haltères, L', Ryan Frank
Exercices à deux, Gregor Carol
Golf au féminin, Le, Bergeron Yves
Grand livre des sports, Le, Le groupe Diagram
Guide complet du judo, Arpin Louis
* Guide complet du self-defense, Arpin Louis
Guide d'achat de l'équipement de tennis, Chevalier Richard et Gilbert Yvon
Guide de l'alpinisme, Le, Cappon Massimo
Guide de survie de l'armée américaine
Guide des jeux scouts, Association des scouts
Guide du judo au sol, Arpin Louis
Guide du self-defense, Arpin Louis
Guide du trappeur, Le, Provencher Paul
Hatha yoga, Piuze Suzanne
* J'apprends à nager, Lacoursière Réjean
* Jogging, Le, Chevalier Richard
Jouez gagnant au golf, Brien Luc
Larry Robinson, le jeu défensif, Robinson Larry
Lutte olympique, La, Sauvé Marcel
* Manuel de pilotage, Transport Canada

* Marathon pour tous, Anctil Pierre
Maxi-performance, Garfield Charles A. et Bennett Hal Zina
* Médecine sportive, Mirkin Dr Gabe
Mon coup de patin, Wild John
Musculation pour tous, Laferrière Serge
Natation de compétition, La, Lacoursière Réjean
Partons en camping, Satterfield Archie et Bauer Eddie
Partons sac au dos, Satterfield Archie et Bauer Eddie
Passes au hockey, Champleau Claude
Pêche à la mouche, La, Marleau Serge
Pêche à la mouche, Vincent Serge-J.
Pêche au Québec, La, Chamberland Michel
* Planche à voile, La, Maillefer Gérald
* Programme XBX, Aviation Royale du Canada
Provencher, le dernier coureur des bois, Provencher Paul
Racquetball, Corbeil Jean
Racquetball plus, Corbeil Jean
Raquette, La, Osgoode William
* Rivières et lacs canotables, Fédération québécoise du canot-camping
* S'améliorer au tennis, Chevalier Richard
Secrets du baseball, Les, Raymond Claude
Ski de fond, Le, Roy Benoît
* Ski de randonnée, Le, Corbeil Jean
Soccer, Le, Schwartz Georges
Stratégie au hockey, Meagher John W.
Surhommes du sport, Les, Desjardins Maurice
* Taxidermie, La, Labrie Jean
Techniques du billard, Morin Pierre
* Technique du golf, Brien Luc
Techniques du hockey en URSS, Dyotte Guy
* Techniques du tennis, Ellwanger
* Tennis, Le, Roch Denis
Tous les secrets de la chasse, Chamberland Michel
Vivre en forêt, Provencher Paul
Voie du guerrier, La, Di Villadorata
Volley-ball, Le, Fédération de volley-ball
Yoga des sphères, Le, Leclerq Bruno

le jour, éditeur

ANIMAUX

Guide du chat et de son maître, Laliberté Robert
Guide du chien et de son maître, Laliberté Robert

Poissons de nos eaux, Melançon Claude

ART CULINAIRE ET DIÉTÉTIQUE

Armoire aux herbes, L', Mary Jean
Breuvages pour diabétiques, Binet Suzanne
Cuisine du jour, La, Pauly Robert
Cuisine sans cholestérol, Boudreau-Pagé
Desserts pour diabétiques, Binet Suzanne
Jus de santé, Les, Brunet Jean-Marc

Mangez ce qui vous chante, Pearson Dr Leo
Mangez, réfléchissez et devenez svelte, Kothkin Leonid
Nutrition de l'athlète, Brunet Jean-Marc
Recettes Soeur Berthe - été, Sansregret soeur Berthe
Recettes Soeur Berthe - printemps, Sansregret soeur Berthe

ARTISANAT/ARTS MÉNAGERS

Diagrammes de courtepointes, Faucher Lucille
Douze cents nouveaux trucs, Grisé-Allard Jeanne
Encore des trucs, Grisé-Allard Jeanne

Mille trucs madame, Grisé-Allard Jeanne
Toujours des trucs, Grisé-Allard Jeanne

DIVERS

Administrateur de la prise de décision, Filiatreault P. et Perreault Y.G.
Administration, développement, Laflamme Marcel
Assemblées délibérantes, Béland Claude
Assoiffés du crédit, Les, Féd. des A.C.E.F.
Baie James, La, Bourassa Robert
Bien s'assurer, Boudreault Carole
Cent ans d'injustice, Hertel François
Ces mains qui vous racontent, Boucher André-Pierre
550 métiers et professions, Charneux Helmy
Coopératives d'habitation, Les, Leduc Murielle
Dangers de l'énergie nucléaire, Les, Brunet Jean-Marc

Dis papa c'est encore loin, Corpatnauy Francis
Dossier pollution, Chaput Marcel
Énergie aujourd'hui et demain, De Martigny François
Entreprise et le marketing, L', Brousseau
Forts de l'Outaouais, Les, Dunn Guillaume
Grève de l'amiante, La, Trudeau Pierre
Hiérarchie ethnique dans la grande entreprise, Rainville Jean
Impossible Québec, Brillant Jacques
Initiation au coopératisme, Béland Claude
Julius Caesar, Roux Jean-Louis
Lapokalipso, Duguay Raoul

9

Lune de trop, Une, Gagnon Alphonse
Manifeste de l'Infonie, Duguay Raoul
Mouvement coopératif québécois, Deschêne Gaston
Obscénité et liberté, Hébert Jacques
Philosophie du pouvoir, Blais Martin
Pourquoi le bill 60, Gérin-Lajoie P.

Stratégie et organisation, Desforges Jean et Vianney C.
Trois jours en prison, Hébert Jacques
Vers un monde coopératif, Davidovic Georges
Vivre sur la terre, St-Pierre Hélène
Voyage à Terre-Neuve, De Gébineau comte

ENFANCE

Aidez votre enfant à choisir, Simon Dr Sydney B.
Deux caresses par jour, Minden Harold
Être mère, Bombeck Erma
Parents efficaces, Gordon Thomas

Parents gagnants, Nicholson Luree
Psychologie de l'adolescent, Pérusse-Cholette Françoise
1500 prénoms et significations, Grisé Allard J.

ÉSOTÉRISME

* Astrologie et la sexualité, L', Justason Barbara
   Astrologie et vous, L', Boucher André-Pierre
* Astrologie pratique, L', Reinicke Wolfgang
   Faire se carte du ciel, Filbey John
   Grand livre de la cartomancie, Le, Von Lentner G.
* Grand livre des horoscopes chinois, Le, Lau Theodora
   Graphologie, La, Cobbert Anne
* Horoscope et énergie psychique, Hamaker-Zondag
   Horoscope chinois, Del Sol Paula

   Lu dans les cartes, Jones Marthy
* Pendule et baguette, Kirchner Georg
* Pratique du tarot, La, Thierens E.
   Preuves de l'astrologie, Comiré André
   Qui êtes-vous? L'astrologie répond, Tiphaine
   Synastrie, La, Thornton Penny Traité d'astrologie, Hirsig
   Huguette
   Votre destin par les cartes, Dee Nerys

HISTOIRE

Administration en Nouvelle-France, L', Lanctot Gustave
Histoire de Rougemont, Bédard Suzanne
Lutte pour l'information, La, Godin Pierre
Mémoires politiques, Chaloult René
Rébellion de 1837, Saint-Eustache, Globensky Maximillien

Relations des Jésuites T.2
Relations des Jésuites T.3
Relations des Jésuites T.4
Relations des Jésuites T.5

JEUX/DIVERTISSEMENTS

Backgammon, Lesage Denis

LINGUISTIQUE

Des mots et des phrases, T. 1,, Dagenais Gérard
Des mots et des phrases, T. 2, Dagenais Gérard

Joual de Troie, Marcel Jean

NOTRE TRADITION

Ah mes aïeux, Hébert Jacques

Lettre à un Français qui veut émigrer au Québec, Dubuc Carl

OUVRAGES DE RÉFÉRENCE

Petit répertoire des excuses, Le, Charbonneau Christine et Caron Nelson

Règles d'or de la vente, Les, Kahn George N.

PSYCHOLOGIE

* **Adieu,** Halpern Dr Howard
Adieu Tarzan, Frank Helen
* **Agressivité créatrice,** Bach Dr George
Aimer, c'est choisir d'être heureux, Kaufman Barry Neil
* **Aimer son prochain comme soi-même,** Murphy Joseph
* **Anti-stress, L',** Eylat Odette
Arrête! tu m'exaspères, Bach Dr George
Art d'engager la conversation et de se faire des amis, L', Grabor Don
* **Art de convaincre, L',** Ryborz Heinz
* **Art d'être égoïste, L',** Kirschner Joseph
* **Au centre de soi,** Gendlin Dr Eugène
* **Auto-hypnose, L',** Le Cron M. Leslie
Autre femme, L', Sevigny Hélène
Bains Flottants, Les, Hutchison Michael
* **Bien dans sa peau grâce à la technique Alexander,** Stransky Judith
Ces hommes qui ne communiquent pas, Naifeh S. et White S.G.
Ces vérités vont changer votre vie, Murphy Joseph
Chemin infaillible du succès, Le, Stone W. Clément
Clefs de la confiance, Les, Gibb Dr Jack
Comment aimer vivre seul, Shanon Lynn
* **Comment devenir des parents doués,** Lewis David
Comment dominer et influencer les autres, Gabriel H.W.
Comment s'arrêter de fumer, McFarland J. Wayne
* **Comment vaincre la timidité en amour,** Weber Éric
Contacts en or avec votre clientèle, Sapin Gold Carol
* **Contrôle de soi par la relaxation,** Marcotte Claude
* **Couple homosexuel, Le,** McWhirter David P. et Mattison Andres M.
* **Devenir autonome,** St-Armand Yves
Dire oui à l'amour, Buscaglia Léo
* **Ennemis intimes,** Bach Dr George
États d'esprit, Glasser Dr William**Être efficace,** Hanot Marc
Être homme, Goldberg Dr Herb
Famille moderne et son avenir, La , Richar Lyn
Gagner le match, Gallwey Timothy
Gestalt, La, Polster Erving

Guide du succès, Le, Hopkins Tom
Harmonie, une poursuite du succès, L' Vincent Raymond
* **Homme au dessert, Un,** Friedman Sonya
Homme en devenir, L', Houston Jean
* **Homme nouveau, L', Bodymind,** Dychtwald Ken
Influence de la couleur, L', Wood Betty
* **Jouer le tout pour le tout,** Frederick Carl
Maigrir sans obsession, Orback Suisie
Maîtriser la douleur, Bogin Meg
Maîtriser son destin, Kirschner Joseph
Manifester son affection, Bach Dr George
* **Mémoire, La,** Loftus Elizabeth
* **Mémoire à tout âge, La,** Dereskey Ladislaus
Mère et fille, Horwick Kathleen
* **Miracle de votre esprit,** Murphy Joseph
* **Négocier entre vaincre et convaincre,** Warschaw Dr Tessa
Nouvelles Relations entre hommes et femmes, Goldberg Herb
* **On n'a rien pour rien,** Vincent Raymond
* **Oracle de votre subconscient, L,** Murphy Joseph
Parapsychologie, La, Ryzl Milan
Parlez pour qu'on vous écoute, Brien Micheline
Partenaires, Bach Dr George
Pensée constructive et bon sens, Vincent Dr Raymond
Personnalité, La, Buscaglia Léo
Personne n'est parfait, Weisinger Dr H.
Pourquoi je pleures-tu pas?, Yahraes Herbert, McKnew Donald H. Jr., Cytryn Leon
Pourquoi remettre à plus tard? Burka Jane B. et Yuen L. M.
Pouvoir de votre cerveau, Le, Brown Barbara
Prospérité, La, Roy Maurice
* **Psy-jeux,** Masters Robert
* **Puissance de votre subconscient, La,** Murphy Dr Joseph
Reconquête de soi, La, Paupst Dr James C.
* **Réfléchissez et devenez riche,** Hill Napoléon
* **Réussir,** Hanot Marc
Rythmes de votre corps, Les, Weston Lee

11

S'aimer ou le défi des relations humaines, Buscaglia Léo
Se vider dans la vie et au travail, Pines Ayala M.
* Secrets de la communication, Bandler Richard
Sous le masque du succès, Harvey Joan C. et Datz Cynthia
* Succès par la pensée constructive, Le, Hill Napoléon
Technostress, Brod Craig
* Thérapies au féminin, Les, Brunel Dominique
Tout ce qu'il y a de mieux, Vincent Raymond
Triomphez de vous-même et des autres, Murphy Dr Joseph

Univers de mon subsconscient, L', Dr Ray Vincent
Vaincre la dépression par la volonté et l'action, Marcotte Claude
Vers le succès, Kassoria Dr Irène C.
* Vieillir en beauté, Oberleder Muriel
Vivre avec les imperfections de l'autre, Janda Dr Louis H.
* Vivre c'est vendre, Chaput Jean-Marc
* Vivre heureux avec le strict nécessaire, Kirschner Josef
Votre perception extra sensorielle, Milan Dr Ryzl
Votre talon d'Achille, Bloomfield Dr. Harold

ROMANS/ESSAIS

À la mort de mes 20 ans, Gagnon P.O.
Affrontement, L', Lamoureux Henri
Bois brûlé, Roux Jean-Louis
100 000e exemplaire, Le, Dufresne Jacques
C't'a ton tour Laura Cadieux, Tremblay Michel
Cité dans l'oeuf, La, Tremblay Michel
Coeur de la baleine bleue, Le Poulin Jacques
Coffret petit jour, Martucci Abbé Jean
Colin-Maillard, Hémon Louis
Contes pour buveurs attardés, Tremblay Michel
Contes érotiques indiens, Schwart Herbert
Crise d'octobre, Pelletier Gérard
Cyrille Vaillancourt, Lamarche Jacques
Desjardins Al., Homme au service, Lamarche Jacques
De Z à A, Losique Serge
Deux Millième étage, Le, CarrierRoch
D'Iberville, Pellerin Jean
Dragon d'eau, Le, Holland R.F.
Équilibre instable, L', Deniset Louis
Éternellement vôtre, Péloquin Claude
Femme d'aujourd'hui, La, Landsberg Michele
Femme de demain, Keeton Kathy
Femmes et politique, Cohen Yolande
Filles de joie et filles du roi, Lanctot Gustave
Floralie où es-tu, Carrier Roch

Fou, Le, Châtillon Pierre
Français langue du Québec, Le, Laurin Camille
Hommes forts du Québec, Weider Ben
Il est par là le soleil, Carrier Roch
J'ai le goût de vivre, Delisle Isabelle
J'avais oublié que l'amour, Doré-Joyal Yves
Jean-Paul ou les hasards de la vie, Bellier Marcel
Johnny Bungalow, Villeneuve Paul
Jolis Deuils, Carrier Roch
Lettres d'amour, Champagne Maurice
Louis Riel patriote, Bowsfield Hartwell
Louis Riel un homme à pendre, Osier E.B.
Ma chienne de vie, Labrosse Jean-Guy
Marche du bonheur, La, Gilbert Normand
Mémoires d'un Esquimau, Metayer Maurice
Mon cheval pour un royaume, Poulin J.
Neige et le feu, La, Baillargeon Pierre
N'Tsuk, Thériault Yves
Opération Orchidée, Villon Christiane
Orphelin esclave de notre monde, Labrosse Jean
Oslovik fait la bombe, Oslovik
Parlez-moi d'humour, Hudon Normand
Scandale est nécessaire, Le, Baillargeon Pierre
Vivre en amour, Delisle Lapierre

SANTÉ

Alcool et la nutrition, L', Brunet Jean-Marc
Bruit et la santé, Le, Brunet Jean-Marc
Chaleur peut vous guérir, La, Brunet Jean-Marc
Échec au vieillissement prématuré, Blais J.
Greffe des cheveux vivants, Guy Dr
Guérir votre foie, Jean-Marc Brunet
Information santé, Brunet Jean-Marc
Magie en médecine, Sylva Raymond
Maigrir naturellement, Lauzon Jean-Luc

Mort lente par le sucre, Duruisseau Jean-Paul
40 ans, âge d'or, Taylor Eric
Recettes naturistes pour arthritiques et rhumatisants, Cuillerier Luc
Santé de l'arthritique et du rhumatisant, Labelle Yvan
* Tao de longue vie, Le, Soo Chee
Vaincre l'insomnie, Filion Michel,Boisvert Jean-Marie, Melanson Danielle
Vos aliments sont empoisonnés, Leduc Paul

SEXOLOGIE

* **Aimer les hommes pour toutes sortes de bonnes raisons,** * Nir Dr Yehuda
* **Apprentissage sexuel au féminin, L',** Kassoria Irene
* **Comment faire l'amour à la même personne pour le reste de votre vie,** O'Connor Dagmar
* **Comment faire l'amour à un homme,** Penney Alexandra
* **Comment faire l'amour ensemble,** Penney Alexandra
  Dépression nerveuse et le corps, La, Lowen Dr Alexander
  Drogues, Les, Boutot Bruno

Femme célibataire et la sexualité, La, Robert M.
* **Jeux de nuit,** Bruchez Chantal
  Magie du sexe, La, Penney Alexandra
* **Massage en profondeur, Le,** Bélair Michel
  Massage pour tous, Le, Morand Gilles
  Première fois, La, L'Heureux Christine
  Rapport sur l'amour et la sexualité, Brecher Edward
  Sexualité expliquée aux adolescents, La, Boudreau Yves
  Sexualité expliquée aux enfants, La, Cholette Pérusse F.

SPORTS

Baseball-Montréal, Leblanc Bertrand
Chasse au Québec, Deyglun Serge
Chasse et gibier du Québec, Guardon Greg
Exercice physique pour tous, Bohemier Guy
Grande forme, Baer Brigitte
Guide des pistes cyclables, Guy Côté
Guide des rivières du Québec, Fédération canot-kayac
Lecture des cartes, Godin Serge
Offensive rouge, L', Boulonne Gérard

Pêche et coopération au Québec, Larocque Paul
Pêche sportive au Québec, Deyglun Serge
Raquette, La, Lortie Gérard
Santé par le yoga, Piuze Suzanne
Saumon, Le, Dubé Jean-Paul
Ski nordique de randonnée, Brady Michael
Technique canadienne de ski, O'Connor Lorne
Truite et la pêche à la mouche, La, Ruel Jeannot
Voile, un jeu d'enfants, La, Brunet Mario

ROMANS/ESSAIS/THÉATRE

Andersen Marguerite,
　De mémoire de femme
Aquin Hubert,
　Blocs erratiques
Archambault Gilles,
　La fleur aux dents
　Les pins parasols
　Plaisirs de la mélancolie
Atwood Margaret,
　Les danseuses et autres nouvelles
　La femme comestible
　Marquée au corps
Audet Noël,
　Ah, L'amour l'amour

Baillie Robert,
　La couvade
　Des filles de beauté
Barcelo François,
　Agénor, Agénor, Agénor et
　Agénor
Beaudin Beaupré Aline,
　L'aventure de Blanche Morti
Beaudry Marguerite,
　Tout un été l'hiver
Beaulieu Germaine,
　Sortie d'elle(s) mutante

Beaulieu Michel,
Je tourne en rond mais c'est autour de toi
La représentation
Sylvie Stone
Bilodeau Camille,
Une ombre derrière le coeur
Blais Marie-Claire,
L'océan suivi de Murmures
Une liaison parisienne
Bosco Monique,
Charles Lévy M.S.
Schabbat
Bouchard Claude,
La mort après la mort
Brodeur Hélène,
Entre l'aube et le jour
Brossard Nicole,
Armantes
French Kiss
Sold Out
Un livre
Brouillet Chrystine,
Chère voisine
Coup de foudre
Callaghan Barry,
Les livres de Hogg
Cayla Henri,
Le pan-cul
Dahan Andrée,
Le printemps peut attendre
De Lamirande Claire,
Le grand élixir
Dubé Danielle,
Les olives noires
Dessureault Guy,
La maîtresse d'école
Dropaôtt Papartchou,
Salut Bonhomme
Doerkson Margaret, Jazzy
Dubé Marcel,
Un simple soldat
Dussault Jean,
Le corps vêtu de mots
Essai sur l'hindouisme
L'orbe du désir
Pour une civilisation du plaisir
Engel Marian,
L'ours
Fontaine Rachel,
Black Magic
Forest Jean,
L'aube de Suse
Le mur de Berlin P.Q.
Nourrice!... Nourrice!...
Garneau Jacques,
Difficiles lettres d'amour

Gélinas Gratien,
Bousille et les justes
Fridolinades, T.1 (1945-1946)
Fridolinades, T.2 (1943-1944)
Fridolinades, T.3 (1941-1942)
Ti-Coq
Gendron Marc,
Jérémie ou le Bal des pupilles
Gevry Gérard,
L'homme sous vos pieds
L'été sans retour
Godbout Jacques,
Le réformiste
Harel Jean-Pierre,
Silences à voix haute
Hébert François,
Holyoke
Le rendez-vous
Hébert Louis-Philippe,
La manufacture de machines
Manuscrit trouvé dans une valise
Hogue Jacqueline,
Aube
Huot Cécile,
Entretiens avec Omer
Létourneau
Jasmin Claude,
Et puis tout est silence
Laberge Albert,
La scouine
Lafrenière Joseph,
Carolie printemps
L'après-guerre de l'amour
Lalonde Robert,
La belle épouvante
Lamarche Claude,
Confessions d'un enfant d'un demi-siècle
Je me veux
Lapierre René,
Hubert Aquin
Larche Marcel,
So Uk
Larose Jean,
Le mythe de Nelligan
Latour Chrystine,
La dernière chaîne
Le mauvais frère
Le triangle brisé
Tout le portrait de sa mère
Lavigne Nicole,
Le grand rêve de madame Wagner
Lavoie Gaëtan,
Le mensonge de Maillard
Leblanc Louise,
Pop Corn
37 1/2AA

Marchessault Jovette,
  La mère des herbes
Marcotte Gilles,
  La littérature et le reste
Marteau Robert,
  Entre temps
Martel Émile,
  Les gants jetés
Martel Pierre,
  Y'a pas de métro à Gélude-
  La-Roche
Monette Madeleine,
  Le double suspect
  Petites violences
Monfils Nadine,
  Laura Colombe, contes
  La velue
Ouellette Fernand,
  La mort vive
  Tu regardais intensément Geneviève
Paquin Carole,
  Une esclave bien payée
Paré Paul,
  L'improbable autopsie
Pavel Thomas,
  Le miroir persan
Poupart Jean-Marie,
  Bourru mouillé
Robert Suzanne,
  Les trois soeurs de personneVulpera
Robertson Heat,
  Beauté tragique

Ross Rolande,
  Le long des paupières brunes
Roy Gabrielle,
  Fragiles lumières de la terre
Saint-Georges Gérard,
  1, place du Québec Paris VIe
Sansfaçon Jean-Robert,
  Loft Story
Saurel Pierre,
  IXE-13
Savoie Roger,
  Le philosophe chat
Svirsky Grigori,
  Tragédie polaire, nouvelles
Szucsany Désirée,
  La passe
Thériault Yves,
  Aaron
  Agaguk
  Le dompteur d'ours
  La fille laide
  Les vendeurs du temple
Turgeon Pierre,
  Faire sa mort comme faire l'amour
  La première personne
  Prochainement sur cet écran
  Un, deux, trois
Trudel Sylvain,
  Le souffle de l'Harmattan
Vigneault Réjean,
  Baby-boomers

COLLECTIFS DE NOUVELLES

Fuites et poursuites
Dix contes et nouvelles fantastiques
Dix nouvelles humoristiques

Dix nouvelles de science-fiction québécoise
Aimer
Crever l'écran

LIVRES DE POCHES 10/10

Aquin Hubert,
  Blocs erratiques
Brouillet Chrystine,
  Chère voisine
Dubé Marcel,
  Un simple soldat
Gélinas Gratien,
  Bousille et les justes
  Ti-Coq
Harvey Jean-Charles,
  Les demi-civilisés

Laberge Albert,
  La scouine
Thériault Yves,
  Aaron
  Agaguk
  Cul-de-sac
  La fille laide
  Le dernier havre
  Le temps du carcajou
  Tayaout

Turgeon Pierre,
Faires sa mort comme faire l'amour
La première personne

NOTRE TRADITION

Aucoin Gérard,
L'oiseau de la vérité
Bergeron Bertrand,
Les barbes-bleues
Deschênes Donald,
C'était la plus jolie des filles
Desjardins Philémon et Gilles Lamontagne,
Le corbeau du mont de la Jeunesse
Dupont Jean-Claude,
Contes de bûcherons

Gauthier Chassé Hélène,
À diable-vent
Laforte Conrad,
Menteries drôles et merveilleuse
Légaré Clément,
La bête à sept têtes
Pierre La Fève

DIVERS

A.S.D.E.Q.,
Québec et ses partenaires
Qui décide au Québec?
Bailey Arthur,
Pour une économie du bon sens
Bergeron Gérard,
Indépendance oui mais
Bowering George,
En eaux trouble
Boissonnault Pierre,
L'hybride abattu
Collectif Clio,
L'histoire des femmes au Québec
Clavel Maurice,
Dieu est Dieu nom de Dieu
Centre des dirigeants d'entreprise,
Relations du travail
Creighton Donald,
Canada - Les débuts
héroïques
De Lamirande Claire,
Papineau
Dupont Pierre,
15 novembre 76
Dupont Pierre et Gisèle Tremblay,
Les syndicats en crise
Fontaine Mario
Tout sur les p'tits journaux z'artistiques
Gagnon G., A. Sicotte et G. Bourrassa,
Tant que le monde s'ouvrira
Gamma groupe,

La société de conservation
Garfinkel Bernie,
Liv Ullmann Ingmar Bergman
Genuist Paul,
La faillite du Canada anglais
Haley Louise,
Le ciel de mon pays, T.1
Le ciel de mon pays, T.2
Harbron John D.,
Le Québec sans le Canada
Hébert Jacques et Maurice F. Strong,
Le grand branle-bas
Matte René,
Nouveau Canada à notre mesure
Monnet François-Mario,
Le défi québécois
Mosher Terry-Ailsin,
L'humour d'Aislin
Pichette Jean,
Guide raisonné des jurons
Powell Robert,
L'esprit libre
Roy Jean,
Montréal ville d'avenir
Sanger Clyde,
Sauver le monde
Schirm François,
Personne ne voudra savoir
Therrien Paul,
Les mémoires de J.E.Bernier

16